# Diário de Aventuras da ELLIE

## A Verdadeira Jogadora

# Diário de Aventuras da Ellie

## A Verdadeira Jogadora

ESCRITO E ILUSTRADO POR

**Ruth McNally Barshaw**

Ciranda Cultural

Para todos aqueles que dão o seu melhor,
que se esforçam para crescer, e que continuam
sendo bons em esportes, mesmo quando é difícil.

Dados Internacionais de Catalogação na Publicação (CIP)
(Câmara Brasileira do Livro, SP, Brasil)

Barshaw, Ruth McNally
Diário de aventuras da Ellie : a verdadeira jogadora / escrito e ilustrado por Ruth McNally Barshaw ; [tradução Ciranda Cultural]. -- Barueri : Ciranda Cultural, 2014.
Título original: The Ellie McDoodle diaries : most valuable player.

ISBN 978-85-380-5518-1

1. Contos - Literatura juvenil I. Título.

14-02019 CDD-028.5

Índices para catálogo sistemático:
1. Contos : Literatura juvenil 028.5


Publicado pela primeira vez nos Estados Unidos
em abril de 2012 por Bloomsbury Children's Books.

Design de capa: Yelena Safronova



1ª Edição em 2014
8ª Impressão em 2021
www.cirandacultural.com.br

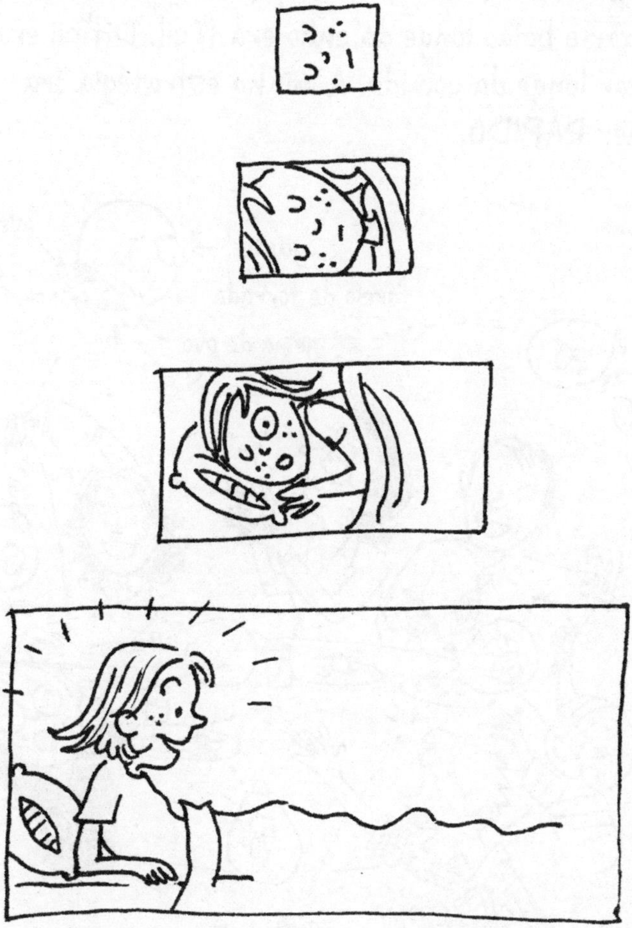

Quase todas as manhãs, uma força me empurra de volta pra cama, mas hoje acordei feliz. É quarta--feira e meu pai está organizando os Jogos Matinais. Foi o jeito que ele arrumou de animar a gente pra segunda metade da semana.

Hoje a gente jogou segura balão. O objetivo era manter o balão no ar enquanto a gente comia. Deixar o balão longe do chão era fácil. Difícil era deixar longe da comida. A minha estratégia era comer RÁPIDO.

Meu pai, louco por esportes, usou uma baguete como taco. Ele até deu uma de técnico: — Bom trabalho! Mais alto! É isso aí! Você consegue!

Minha mãe, a designer, enxergava arte nos lugares mais estranhos: — A textura e a cor da comida ficaram incríveis no balão!

A Lisa ficou se achando a mais poderosa.

Eu era o alvo de quase todas as brincadeiras do Josh. Ele jogou o balão na minha direção várias vezes.

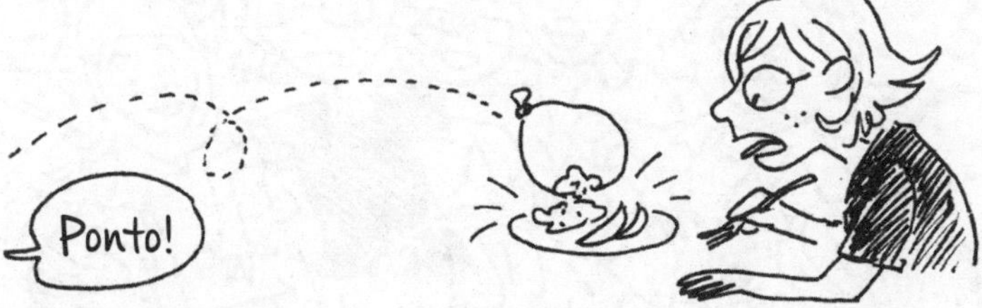


O macaquinho Ben-Ben sempre usa um capacete. Na hora de jogar segura balão, o capacete é bem útil.

(Acho que um capacete me cairia bem.)

Depois do café da manhã, uns foram pra escola e outros, pro trabalho. Com certeza, eu estava cheia de energia.

No pátio da escola, o Dalton ensinou a gente a jogar footbag. Ele passou a bola pra mim e eu logo deixei cair. Todos riram.

Quando o Dalton chutava a bola, ela dançava, subia e descia sem cair. O máximo que eu conseguia era fazer a bola quicar na minha barriga e cair.

Quando o sinal tocou, tentei chutar a bola pro Dalton. Errei de novo. Desisti e entreguei a bola pra ele com a mão mesmo.

Na aula de Inglês, a professora Whittam ensinou a língua de sinais pra gente. Ela disse que ia ser muito útil na nossa vida. Pra mim, era só diversão.

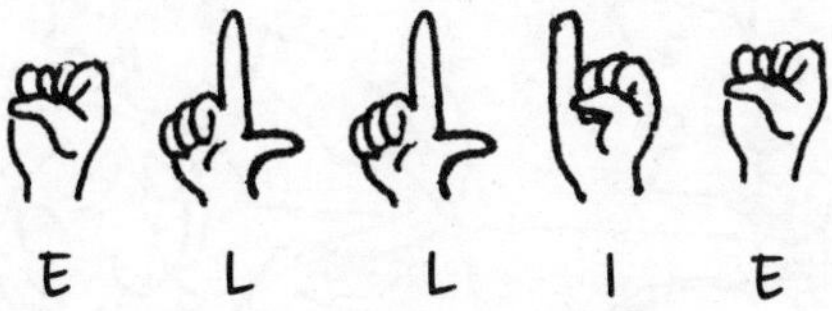


Meu nome é fácil de fazer. Esse jeito novo de falar tem possibilidades limitadas.

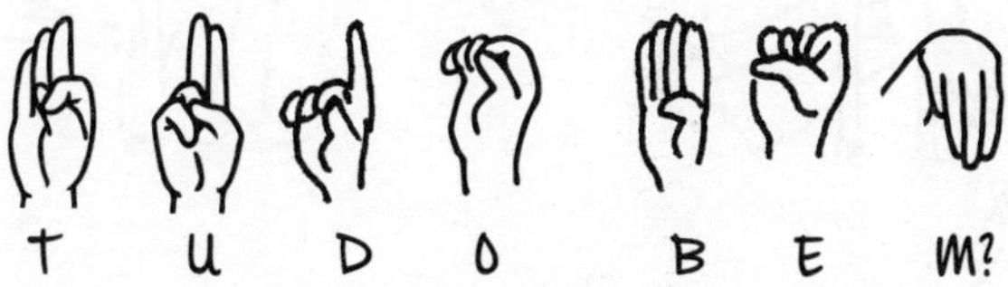


O problema é que nenhum de nós sabe o suficiente de língua de sinais pra responder!

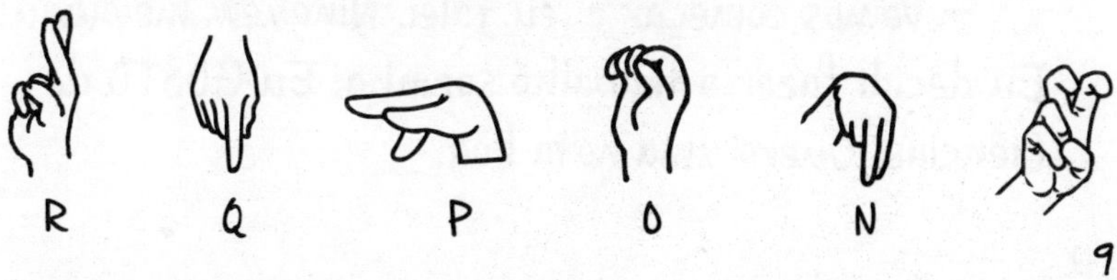

Na aula de Ciências, o professor Brendall assustou a gente com três palavras: trabalho em grupo.

Ele nos dividiu em grupos pequenos e separou as panelinhas. Meu grupo tinha três pessoas que eu nem conhecia.

— Vamos começar — eu falei. Ninguém me ouviu! Eu decidi fazer o trabalho sozinha. Eu GOSTO de Ciências. Quero uma nota boa.

Depois da aula, o nosso grupo, o Jornada da Mente, se reuniu.

O que fazemos: resolução criativa de problemas.

Por que: porque é divertido! É como ginástica pro cérebro.

Quando: todas as segundas e quartas.

A senhora Claire entregando desafios de lógica

O torneio regional vai acontecer dentro de três semanas. A senhora Claire, nossa treinadora (e bibliotecária), disse que a gente tem chance de ganhar, mesmo participando pela primeira vez no grupo.

O desafio rápido de hoje: reposicionar quatro setas pra formar cinco setas. Cada um tentou resolver o desafio sozinho.

Finalmente, uma solução:

Está vendo a seta branca no meio formada pelo espaço entre as outras?

Pois é, eu não vi.

Próximo desafio: outro jogo, mas dessa vez todos tinham que trabalhar juntos. Era uma dinâmica de grupo.

A senhora Claire nos vendou. Depois, ela disse pra gente encontrar a "coisa" no chão, mas não falou o que era. Não era poeira, nem pegadas, nem azulejos. (Eu perguntei.) Finalmente, a gente encontrou: era uma corda.

Tá legal, não foi tão difícil. Mas não era só isso. Sem tirar a venda, a gente tinha que fazer um quadrado perfeito com a corda.

Foi complicado. Teria sido mais fácil se ela tivesse me deixado usar a minha régua-tê!

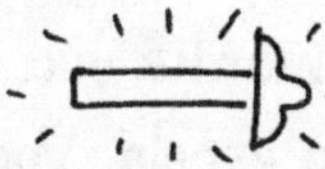

O que eu achei que a gente tinha feito:

O que a gente fez:

(Patético!)

A senhora Claire filmou todo o processo e mostrou a gravação pra gente assim que terminamos. Dava pra ver nossos erros e acertos. Foi revelador. A gente viu quando um participante não quis ajudar, ou quando outro ajudou <u>demais</u>.

Somos bons em ter ideias, mas não muito bons em trabalhar em grupo.

Eu e a Mo conversamos depois da reunião do grupo.

Mo: Amanhã vou me inscrever pro time de futebol da escola. Você devia ir.

Eu: Futebol? Eu não sei NADA de futebol! E se eu for mal?

Mo: Você não vai. É fácil. É só chutar a bola pro gol. Eu ajudo você.

Eu: Mas a gente precisa se dedicar ao Jornada.

Mo: Os jogos e as reuniões são em dias diferentes. Podemos fazer os dois.

Eu tentei fugir contrariando a Mo. Ela retrucava todas as minhas respostas sem hesitar.

Finalmente, acabaram as minhas desculpas. Não tinha jeito. Futebol, aí vou eu.

Quando eu contei pro meu pai que ia me inscrever no time de futebol, achei que ele ia me elogiar e dizer que eu ia ser a melhor jogadora do campeonato. Em vez disso, ele me contou a novidade: ele ia ser o técnico!

Ele estava substituindo um amigo que pediu demissão. Ele até pensou em ME chamar pra entrar no time!

Peraí! Meu PAI vai ser meu técnico? Já estou até imaginando. Ele não vai pegar no meu pé. Ele vai praticar comigo. Ele vai ficar tão orgulhoso de mim que vai me dispensar das tarefas de casa. Vai ser moleza!

Eu: Eu vou ter que chamar você de técnico Rabisco?

Pai: Não. Pode me chamar de pai.

Estou tão ansiosa com o futebol. Não vejo a hora de treinar. Já vi alguns jogadores de futebol cabeceando a bola. Como estrela do time, tenho que aprender a fazer isso.

Inventei uma maneira de treinar:

1. Deixar a bola cair na minha cabeça.

2. Ver em que direção a bola vai.

3. Pisar na bola com o pé que estiver mais longe dela.

Eu pratiquei várias vezes, 50 vezes em 15 minutos.

Vou ser a melhor jogadora. Vai ser fácil. Com a Mo e o meu pai do meu lado, não tem como perder!

Naquela noite, sonhei com futebol.

De manhã, eu não via a hora de contar pra Mo que o meu pai seria o nosso técnico. Chutei a bola de futebol até a escola. (Eu admito, eu estava me exibindo um pouco.)

Na metade do caminho, minhas pernas já estavam doendo, porque eu chutei a bola com a perna estendida.

Mesmo assim, acho que estava ficando boa naquilo.

O meu treino no caminho pra escola foi fantástico.

A aula de Inglês também foi ótima.

Então, meu dia ficou péssimo...

A aula de Ciências não me cheirava nada bem. Literalmente!

A Sitka não parava de esfregar o perfume da revista no punho. O James mandava bilhetes escondidos. O Ahmed roncava. Eu fiz o trabalho inteiro sozinha.

Mostrei o trabalho pronto pro professor Brendall.

Boa notícia: todas as minhas respostas estavam certas.

Má notícia: a gente também recebe uma nota pela participação do grupo. Uma nota perfeita mais uma nota péssima é igual a uma nota mediana.

Quando eu estava indo pra casa, chutei a bola forte demais (o que significa que eu corri muito, porque a bola quicou em todos os lugares possíveis).

A peneira do time de futebol aconteceu no campo perto da escola. As meninas eram de várias escolas.

Meu pai explicou que ele é um técnico que treina outros técnicos. Ele disse que não tem jogado muito e que vamos aprender todos juntos. Eu ouvi umas meninas resmungando. Meu instinto protetor se manifestou e eu olhei feio pra elas.

Parece que temos um time bem forte:

(Acho que não ouvi alguns nomes direito.)

Essas meninas são muito boas.

Todas as meninas que participaram da peneira conseguiram uma vaga no time Mustangue. Meu pai pediu pra Vitória demonstrar como se chuta a bola.

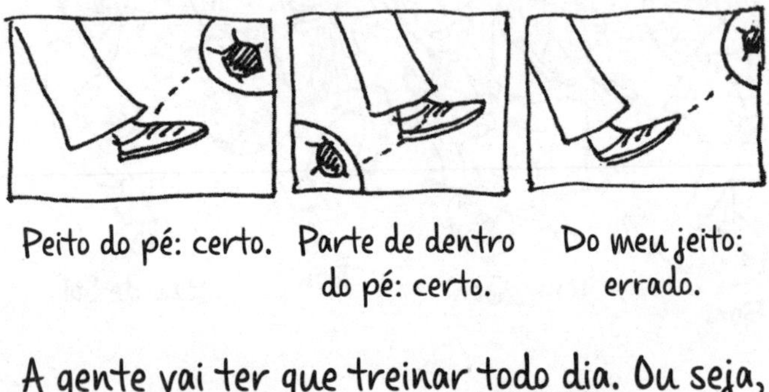

Peito do pé: certo. Parte de dentro do pé: certo. Do meu jeito: errado.

A gente vai ter que treinar <u>todo</u> <u>dia</u>. Ou seja, MUITO. Será que vou enjoar de futebol?

A gente correu em volta do campo, correu de lado, dançou de lado, tudo isso chutando a bola. Eu caí seis vezes. Minhas pernas pareciam gelatina!

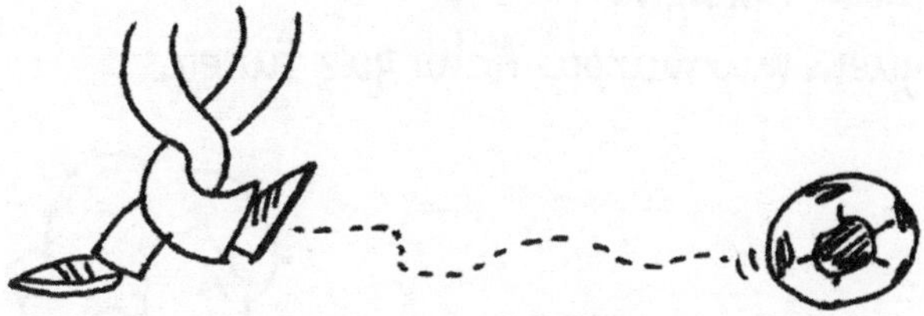

Voltando pra casa, meu pai ficou elétrico e começou a falar alto e rápido que as meninas eram talentosas e que a gente ia ganhar muitos jogos.

Quando eu perguntei se ele achava que eu estava indo bem, ele quase bateu em um cone na rua.

Ele disse, meio sem graça: – Você foi bem por ser o primeiro dia! Continue tentando! Você consegue!

Hum. Ele não pareceu acreditar no que disse. E acho que eu também não.

Na aula de Inglês, na sexta-feira, a professora Whittam deixou a gente mais triste ainda.

– Adivinhem só: vamos fazer trabalho em grupo nesta aula também!

Alguém murmurou. Acho que fui eu.

Nossa tarefa:

1. Formar grupos.
2. Escolher um representante.
3. Criar um jogo de tabuleiro baseado em um mito grego antigo.

Ela disse que a excursão pra Vila de Éon na segunda-feira vai ajudar a gente com a pesquisa e com a tempestade de ideias. Eu quase não ouvi o que ela falou. Eu só conseguia pensar em como eu desprezo, eu abomino, eu ♡ trabalhos em grupo.

De repente, a Mo e o Travis agarraram meus braços e formaram um grupo. Ei, até que pode dar certo!

A gente começou a fazer uma lista de tudo o que sabíamos sobre mitologia grega.

A Medusa, com cabelos de cobra, transforma em pedra quem olha nos olhos dela.

O titã Cronos comeu os próprios filhos!

Romã = a maçã dos deuses.

Zeus é o líder do mundo superior. Às vezes, seus raios são roubados.

Atena nasceu da cabeça de Zeus.

Poseidon é o deus do mar.

Hera é esposa de alguém.

Hifistilistites é um deus? Será?

Ícaro tinha asas de cera e foi muito corajoso.

Mar: 1  Asas: 0

Os Gêmeos (espera aí, eles não eram romanos?)

Nosso plano: deixar todos esses nomes e ideias de lado por um tempo, depois falar sobre eles durante a excursão.

Acho que este é o primeiro trabalho em grupo divertido da minha vida.

Eu ♥ meu grupo!

Depois da aula, fui correndo pra casa, fiz um lanchinho rápido, fiz a lição de casa e peguei carona com meu pai até o campo de futebol. Essa vai ser a minha rotina nas próximas seis semanas.

Não sei se o futebol foi uma boa escolha. O primeiro jogo é amanhã e eu nem sei como o esporte funciona direito. Além disso, eu mal sei o nome das meninas.

A Mo disse que eu vou jogar bem.

Naquela noite, eu fui pra cama pensando em futebol. De manhã, acordei preocupada! E se eu fizesse alguma coisa errada e arruinasse o jogo? E se eu fizesse de novo? E se todos gritassem comigo?

Eu contei os meus medos pra Mo enquanto a gente chutava a bola. Ela bolou um plano:

– Vamos fazer uma festa do pijama com as meninas do time! Hoje!

Ótima ideia. Assim, todas podiam ficar amigas. Pra minha surpresa, meus pais concordaram com a festa. Então, quando fomos jogar, eu e a Mo convidamos todas as meninas do time.

Antes do primeiro jogo, meu pai chamou todas as meninas e colocou uma caixa no banco. Eram os uniformes! Ele falou pra cada uma pegar a camisa que quisesse. Claro que foi uma gritaria.

Eu queria meu número da sorte. Eu ♡ o número três desde sempre. Infelizmente, a Vitória e eu pegamos a camisa ao mesmo tempo. No que ela estava pensando? Eu puxei a manga e avisei de maneira educada que a camisa era MINHA.

Então, ela puxou com mais força. Eu falei pra ela que eu queria MUITO aquela camisa. Ela vestiu a camisa e foi embora. Será que eu devia contar pro meu pai? Não. Sou eu quem tem que lidar com esse problema. Fiquei de cabeça erguida e levantei os ombros. Andei tranquila na direção da Vitória e argumentei.

Vitória, essa camisa é minha. Eu peguei primeiro.

Ela me ignorou.

Vitória, eu PRECISO dessa camisa. É meu número da sorte. Vai me ajudar a jogar melhor.

Por um segundo, achei que ela ia me dar a camisa. Que nada, ela só pegou a camisa pra limpar o NARIZ. Carácolis. Peguei a única que sobrou na caixa. Era a número 29, que não significa nada pra mim.

O jogo começou. O time se chama Mustangue, mas pensei em outros animais enquanto jogávamos.

### O Gato Assustado

Foge da bola em vez de correr atrás dela. Hum, eu sou assim. Mais ou menos.

### O Porco Fominha

Fica com a bola só pra ele e se recusa a dividir, exceto pra deixar alguém ajudá-lo a marcar. E mesmo assim, quer todo o crédito.

### O Esquilo

Faz comentários amigáveis e anima os outros jogadores.

– Boa! Continue assim! Não ligue pra ela!

A Mo é um esquilo.

A Doninha

Acusa os outros jogadores quando cometem um erro. Também acusa os outros quando ELA comete um erro.

O Falcão

Observa, espera por uma oportunidade e mergulha pra roubar a bola.

A gente jogou bem, mas SEM entrosamento. A gente não jogou como um time de verdade. Espero que a festa do pijama ajude.

A gente ganhou um jogo e perdeu o outro. Meu pai deu quatro voltas da vitória e "incentivou" a gente a fazer o mesmo.

Depois das voltas da vitória, fui pra casa da Mo planejar a festa. Demorei o dobro do tempo, porque eu ainda estava com as pernas bambas.

O irmão mais velho da Mo, o Thomas, apareceu e me mostrou os troféus e medalhas que ele ganhou no vôlei.

Ele tem síndrome de Down. Ele participa dos Jogos da Amizade (esportes pra crianças com habilidades diferentes). Eles vão fazer uma reunião em breve. A mãe da Mo me convidou pra ir e abraçar os participantes.

Nossa! Todos os troféus e medalhas do Thomas foram feitos à mão pela Mo.

Eu e a Mo preparamos brincadeiras e lanches pra festa do pijama. A gente queria fazer biscoitos, mas a mãe da Mo disse que a gente devia fazer um lanche saudável. A Mo tentou fazer a mãe dela mudar de ideia, mas eu sabia que não ia adiantar. Era melhor assim: meu pai não ia poder dar um sermão sobre comida saudável.

Então, a gente fez uma jogadora de futebol com frutas e vegetais:

cabelo: mirtilos
cabeça: biscoito
rosto: manteiga de amendoim
olhos: uvas-passas
boca: gomo de mexerica
braços: cenouras
corpo: meia pera
pernas: aipo
pés: uvas-passas
bola: couve-flor
com fatias de
azeitona preta

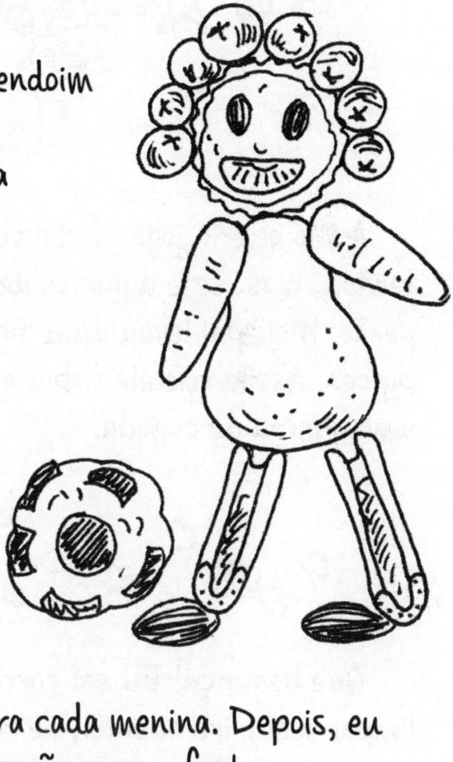

A gente fez uma pra cada menina. Depois, eu fui pra casa limpar o porão para a festa.

Mais tarde, minhas companheiras de time chegaram. Eu estava pronta pra brincar. Mostrei vários jogos de tabuleiro, mas elas não ligaram. Elas preferiram contar histórias de fantasmas e mandar mensagens para os amigos. Eu não gosto de histórias de fantasmas.

A Mo queria jogar futebol lá fora. A gente tentou, mas, sete minutos depois, voltamos pro porão. Meu pai levou duas tigelas enormes de pipoca. Assim que ele subiu a escada, começou uma guerra de comida.

Que bagunça! Eu saí correndo pra tentar limpar a sujeira quando, de repente, alguém gritou. E logo vieram 11 gritos ensurdecedores.

Elas acharam a Mamãe Noel!

Eu expliquei que a minha família usava a Mamãe Noel pra pregar peças uns nos outros. Só por diversão mesmo. E que provavelmente o Josh tinha escondido a Mamãe Noel ali. Eu não fui.

Uma voz disse, baixinho: – Sua família é estranha.

Todas riram muito alto.

A Vitória e a Loni pegaram os tacos de bilhar e começaram a brincar de espada.

A Danka e a Hanna comeram as jogadoras que a gente tinha feito com vegetais e disseram que gostaram da ideia. Quase todas as outras meninas riram da nossa ideia.

Eu NÃO imaginava que a festa ia ser assim. A gente não estava nem perto de ter espírito de equipe. A Loni foi embora cedo. Disse que estava entediada.

~~Bom~~ dia. Só que não.

Ontem, meus pais deixaram o Ben-Ben longe do porão. Mas hoje de manhã, ele entrou lá escondido...

... e pulou em cima de todas nós!

Aaaiii! Ai! Nossa! Agora, a gente acordou!

Era cedo demais. Eu nem sei se dormi. Acho que não. Algumas meninas ficaram acordadas até tarde conversando, outras ficaram pedindo silêncio. E alguém roncou a noite toda.

Eu fiquei contente quando todas elas se arrumaram e foram pra casa. Só a Mo não foi. Ela ficou em casa pra me ajudar a limpar o porão, que estava uma BAGUNÇA.

A gente achou mais pipoca embaixo das almofadas do sofá e uvas-passas nas prateleiras. Que nojo!

Depois que a gente limpou o porão e a Mo foi embora, eu cochilei um tempão. Depois, era a Noite da Família.

Às vezes, a gente brinca de charadas ou quebra-cabeças. O jogo de hoje tinha sido inventado pela família toda. O nome é Confusão Rabisco, e é o jogo mais divertido DE TODOS.

Tabuleiro que pegamos de outro jogo. De qualquer jogo. Meus pais fizeram as cartas.

Toda vez que alguém parar em uma casa escolhida antes do jogo (neste caso, uma cachoeira), cada um pega uma carta do próprio monte e faz o que estiver escrito na carta. Quem errar a resposta tem que voltar cinco casas e contar uma piada. O jogo pode demorar horas.

O Ben-Ben tinha que imitar as figuras:

Eu tinha que soletrar e dar a definição de palavras, como "pontilhismo", "hieróglifo" e "arcobotante".

O Josh tinha que identificar a origem de frases, como "Vim, vi, venci" e "Até tu, Brutus?".

A Lisa tinha que definir expressões musicais, como "staccato", "allegro", "arpeggio" e "andante".

A tarefa da minha mãe era dizer qual artista famoso pintou uma determinada obra de arte, por que e quando.

Meu pai tinha que explicar regras de esportes desconhecidos, como aquele esporte da Inglaterra em que os participantes correm colina abaixo atrás de um queijo.

O desafio: a gente tinha que falar tudo na língua do pê.

Por incrível que pareça, o jogo sempre terminava empatado. Pê-eu pê-a pê-mo pê-a pê-noi pê-te pê-da pê-fa pê-mí pê-li pê-a.

Na segunda-feira, o café da manhã é divertido, como sempre.

Eu ♡ quando meu pai coloca o avental da vovó

Eu: Pai, você sempre põe a mão na massa!

Josh: É melhor que viajar na maionese.

Mãe: E enfiar o pé na jaca!

Pai: Lembrem-se: o apressado come cru, por isso não é bom ir com muita sede ao pote.

Josh: Mas a gente já está com água na boca!

Pai: Eu sei, mas se eu fizer uma refeição de meia tigela, eu é que vou pagar o pato!

Hoje é o dia da excursão. Meus pais guardaram meu almoço e me deram um abraço em grupo, então eu fui pra escola.

No ônibus pra Vila de Éon, eu sentei com meus colegas do Jornada da Mente. O Travis distribuiu as charadas.

A senhora Claire que fez. Ela achou que a gente ia se divertir resolvendo os problemas antes da reunião. Divertido? Que nada. Estava IMPOSSÍVEL.

O que estas letras têm em comum?

M U Y W A

Todas consoantes? Não. Todas têm partes pontudas? Não. Eu desisti e fui pro segundo desafio.

O que estas letras têm em comum?

B C K E D

Eu, o Travis e a Mo tentamos desvendar o enigma, mas não descobrimos nada. Desistimos e começamos a pensar nos detalhes do nosso jogo grego. Fizemos bastante coisa em duas horas! A professora Whittam piscou pra gente.

A Vila de Éon parecia um pedacinho da Grécia Antiga, onde todos os mitos e lendas que conhecíamos se tornavam reais. A nossa visita começou com uma aula de História. O homem que veio falar com a gente não podia ser o Sócrates, que viveu há mais de 2.500 anos, mas aquilo tudo parecia MUITO real.

Enquanto a gente explorava a área, uns monstros apareceram! Eles também pareciam de verdade!

A nossa sala foi dividida em três grupos. No campo Partenon, um grupo tentava praticar esportes antigos. O futebol era jogado na Grécia Antiga e é popular até hoje.

Os vencedores ganharam coroas feitas com folhas de oliveira. A Mo disse que ia dar a dela pro Thomas.

O meu grupo participou da oficina de teatro grego. A gente fez máscaras e aprendeu a vestir uma toga.

Enquanto isso, o terceiro grupo aprendeu a fazer comida mediterrânea.

Essa foi a melhor excursão de TODAS.

No ônibus de volta pra casa, todos caíram no sono, e me deixaram a sós com meu diário. Hoje, eu aprendi a fazer um solilóquio. Um solilóquio é um tipo de discurso que você faz em voz alta, mas pra si mesmo. Foi divertido. Quem sabe? Um dia, posso tentar subir no palco.

O meu solilóquio foi sobre esportes e como eles se adaptam à minha vida. Meu pai diz que certos tipos de corpo se adaptam melhor a certos esportes e que a genética determina as características de uma pessoa.

Pra qual esporte será que o meu corpo é adequado? Competição de desenho? Maratona de escrita?

Assim que descemos do ônibus (ainda sonolentos), fomos pra reunião do Jornada. A senhora Claire perguntou se alguém conseguiu desvendar o enigma no ônibus. (Eu não.) Então, ela revelou as respostas:

As letras são simétricas. Quando você corta essas letras ao meio, as duas metades são iguais. (Existem outras letras além de M, U, Y, W, V e A que são simétricas na vertical, mas o enigma fica mais difícil com menos letras.)

Se você cortar essas letras ao meio desse jeito, elas são iguais em cima e embaixo. Também são simétricas. Agora parece tão óbvio! Por que a gente não pensou nisso antes?

Mais energia pro cérebro: manda ver!

Bônus: Quais letras são simétricas na vertical E na horizontal? A gente pensou em quatro letras.

Vire a página pra ver a resposta.

No final da reunião, a senhora Claire entregou uma sacola pra gente fazer a lição de casa. Cada um recebeu:

A gente tinha dois dias pra fazer um brinquedo usando apenas esses materiais. A professora deixou a gente usar martelo, tesoura, furador e régua. Eu não tinha a mínima ideia do que fazer.

Resposta da charada da página 39: O, X, H, I.

Depois do jantar, fui trabalhar no projeto do jogo grego. Tentei colocar em prática o que eu, o Travis e a Mo tínhamos discutido no ônibus. A minha tarefa era a mais legal: criar um tabuleiro.

Depois de terminar o tabuleiro, tentei montar o brinquedo do Jornada. Por que é tão difícil inventar alguma coisa que agrade a todos e que seja simples de fazer?

Não tive nenhuma ideia boa. Fui pro quintal com a minha bola de futebol pra pensar um pouco. De repente, percebi que a libélula mais legal que já vi na vida estava me seguindo. Ela era enorme! E tinha um voo perfeito.

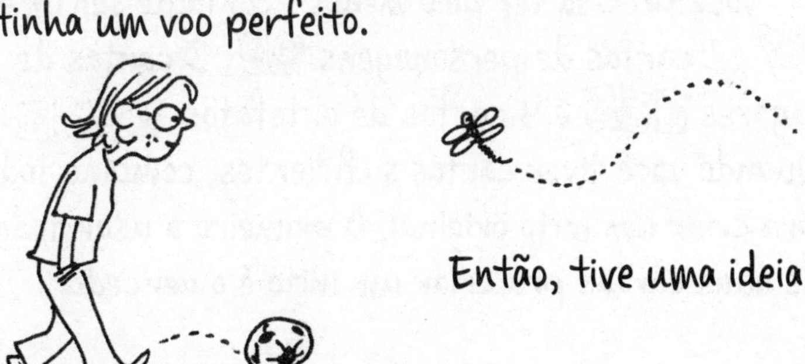

Então, tive uma ideia!

Na terça-feira de manhã, a professora Whittam deu um tempo para os grupos terminarem os jogos gregos.

Eu ♡ o nosso grupo. E nosso jogo também!

O objetivo do jogo: ser o primeiro a reunir ingredientes suficientes para um mito grego completo. Como jogar: jogue os dados. Mova a sua peça de acordo com o número indicado nos dados, em qualquer direção (você pode mudar de direção a qualquer momento). Retire uma carta do espaço em que a sua peça estiver. Em seguida, é a vez do próximo jogador.

Você precisa ter pelo menos 1 carta de sentimento, 2 cartas de personagens, 3 cartas de lugares e 4 cartas de artefatos. Quando você tiver cartas suficientes, combine todas pra criar um mito original. O primeiro a usar todas as suas cartas pra criar um mito é o vencedor.

A gente jogou uma partida demonstrativa pra ver como funciona.

Eu tirei 1 carta de sentimento, 

arrogância

2 cartas de personagens, 

Medusa e Zeus

3 cartas de lugares, 

Monte Olimpo, mar, céu noturno

e 4 cartas de artefatos: 

asas, cera, cobras, raio

E eu também tinha algumas cartas de sentimento a mais: 

inveja, raiva, alegria

Eu só precisava de uma dessas cartas pra vencer. Por fim, tive que inventar um mito bem diferente usando todas as cartas. Não sei como, mas consegui inventar isto:

O arrogante Zeus estava com inveja da Medusa, que criou asas de cera pra que suas cobras pudessem levá-la pro céu noturno. Com muita raiva, Zeus atirou um raio nela, derretendo as asas de cera. As cobras caíram no mar e a Medusa se afogou. Zeus ficou tão alegre que desceu o Monte Olimpo rolando.

Na aula de Ciências, o professor Brendall pediu pra gente ilustrar o ciclo de vida de uma estrela. Eu preferi ilustrar o ciclo de vida do nosso grupo de Ciências:

1. Explosão da nebulosa: tudo começa com uma nuvem.

Algumas pessoas do meu grupo ficam na nuvem o tempo todo.

2. A gravidade força algumas partículas a se unirem.

A mão pesada do professor Brendall forçou a gente a formar um grupo. (Todas as partículas chatas repelem as partículas superiores, legais e inteligentes, ou seja, as opostas.)

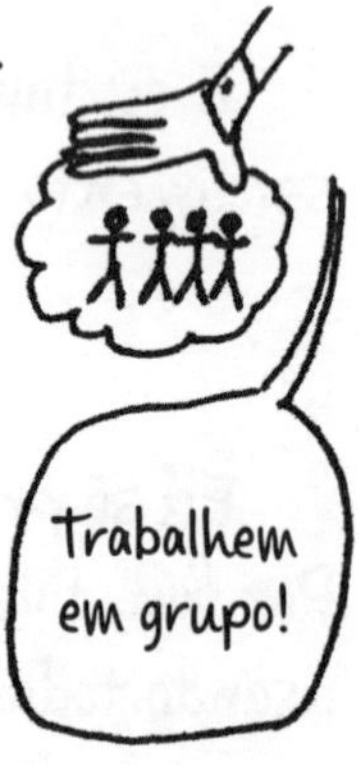


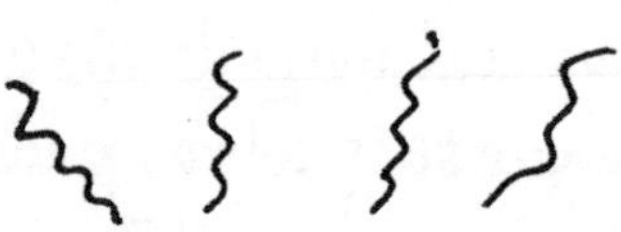

3. As coisas esquentam e brilham quando o grupo dá certo.

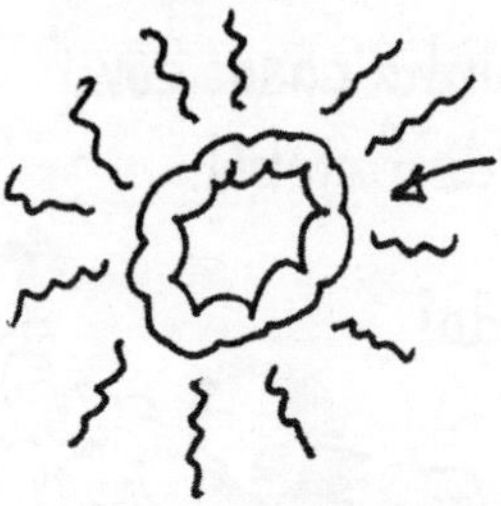

4. A energia é criada.

(No nosso caso, a energia sai do nosso grupo e vai brilhar em outros grupos.)

5. A nuvem explode e nasce uma estrela.

Se a estrela for grande, ela se torna uma supernova, depois um buraco negro. O meu grupo é o buraco negro que suga toda a energia da sala.

Eu perguntei pro professor se ainda dava tempo de mudar de grupo.

Não.

Perguntei se eu podia, SOZINHA, ser o meu grupo.

Não.

Perguntei se eu podia fazer um trabalho diferente em casa.

Ele me olhou com cara de "volte já pro seu lugar".

No final da aula, os outros grupos estavam sorrindo e comemorando. Todos, menos o meu.

Depois da aula, eu corri até a minha casa, comi um lanche e me arrumei pro treino de futebol.

Eu: O que vocês estão construindo?
Lisa: Eca! O que está fedendo?
Josh: Casas de morcego.
Eu: Casas de morcego fedem?
Lisa: Suas chuteiras fedem!

Espirrei o perfume da Lisa nas chuteiras. Não adiantou nada. Elas ficaram com cheiro de chulé floral.

Eu: Por que vocês estão construindo casas de morcego?

Lisa: Que cheiro horrível é esse?

Josh: É pra atrair morcegos.

Espirrei desodorizador de ambiente nas chuteiras. Piorou. Cheiro de chulé floral de lavanda. Que nojo!

Eu: Por que você quer atrair morcegos?

Lisa: Tem alguma coisa morta nas suas chuteiras?

Josh: Pra eles comerem os mosquitos.

Eu até pensei em usar bicarbonato ou desodorante, mas não deu tempo. Meu pai falou que a gente tinha que ir.

O futebol foi brutal. Antes do treino, meu pai obrigou a gente a fazer alongamento e exercícios. Percebi que eu só tinha levado uma caneleira. Ops.

Depois, fizemos agachamento, que é bem mais difícil do que parece: com a coluna ereta, você dobra as pernas como se fosse sentar.

Minhas pernas tremiam e queimavam. Meu rosto ficou vermelho. Parecia que meu cérebro ia explodir.

Então, a gente se espalhou pelo campo e praticou em grupos (e vocês sabem como eu amo trabalhar em grupo). Eu já estava com as pernas doendo de tanto fazer agachamento. Pra piorar, ganhei alguns hematomas.

Levei vários chutes na canela desprotegida.

Era um campeonato de chutes. E a minha perna era a bola!

O treino acabou e eu finalmente pude ir pra casa fazer compressa de gelo.

Meu pai disse que tinha ingressos pro jogo de futebol feminino na universidade na sexta à noite. Eu podia convidar quatro amigos. Escolhi a Mo, o Travis, o Dalton e a Yasmin.

Que droga. Meu pai queria que eu levasse meninas do time de futebol, e ele já tinha até uma lista: a Mo, a Fifa, a Zoni e a Vitória. A Vitória? Acho que ela chutou minha canela de propósito.

Mais tarde, a Lisa acabou com o nosso jantar quando falou sobre a gata malvada dela.

Eu e o Josh demos algumas sugestões:

| Gatástrofe | Miaucriada | Gatarteira | Gata Medonha |
|---|---|---|---|
| Sanguinária | Gatentada | Tenebrosa | Gatarranha |
| Gaterrível | Miarranhau | Gatraquinas | Piti |

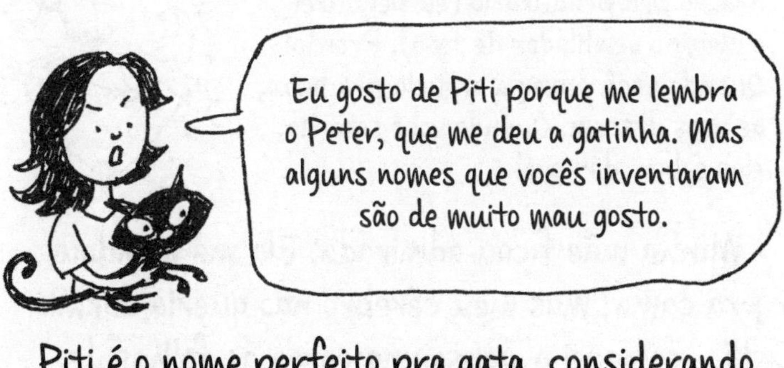


Piti é o nome perfeito pra gata, considerando os faniquitos que ela dá o tempo todo.

Depois do jantar, fui terminar meu brinquedo pra reunião do Jornada: um dragão voador.

1. Desenhe o dragão em um pedaço de papel-cartão pra fazer o corpo, a cauda e a cabeça. Em outro pedaço, faça as asas.

2. Pinte e recorte seu dragão.

3. Cole as asas na parte de cima do corpo com fita adesiva.

4. Passe um barbante através de uma arruela. Amarre cada ponta do cordão em uma asa, deixando a arruela pendurada na parte de baixo.

5. Amarre outro barbante nas costas do dragão pra pendurá-lo (eu pendurei o meu no ventilador de teto). Pronto! Quando você puxar a arruela pra baixo, as asas descem. Quando você soltá-la, elas sobem de novo!

Minha mãe ficou admirada. Ela me mandou ir pra cama, mas meu cérebro não queria dormir. Então, comecei a pensar na coroa de folhas de oliveira que tinha visto na Vila de Éon.

Seria legal fazer uma coroa de estrelas pra dar ao Thomas na reunião dos Jogos da Amizade.

Acho que sei o que fazer: a estrela ninja! Demora um pouco, mas não é difícil de fazer.

## Como Fazer uma Estrela Ninja

1. Recorte duas tiras de 2 cm x 8 cm de cartolina branca. Duas tiras formam uma estrela.

2. Pinte uma tira de vermelho dos dois lados. Assim, fica mais fácil seguir as instruções.

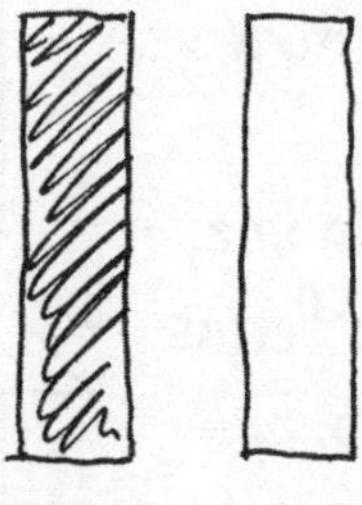

3. Dobre as duas tiras ao meio e, depois, desdobre.

4. Dobre a tira vermelha nas linhas pontilhadas.

A tira vai ficar assim:

5. Dobre as linhas pontilhadas abaixo: Dobre a parte de cima (a) pra formar um triângulo (b). Depois, dobre a parte de baixo (c), formando um S (d).

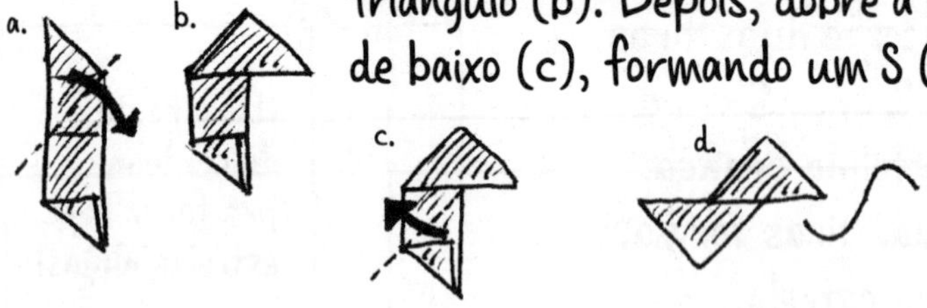


6. Repita todos os passos com a tira branca. Mas, cuidado: desta vez, as dobras são feitas do lado oposto.

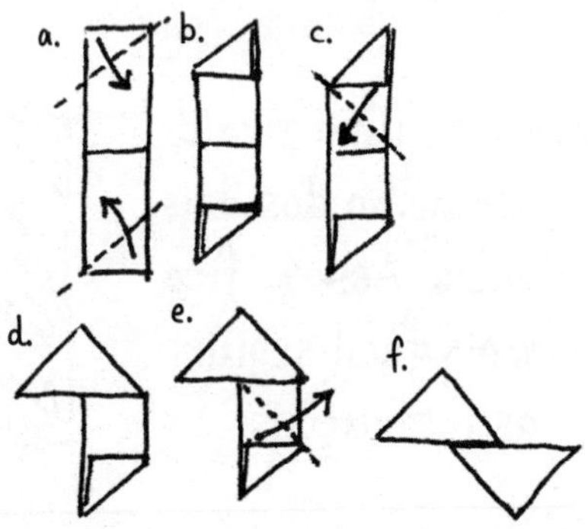


7. Vire o papel vermelho pro outro lado (só o vermelho). Gire o papel branco.

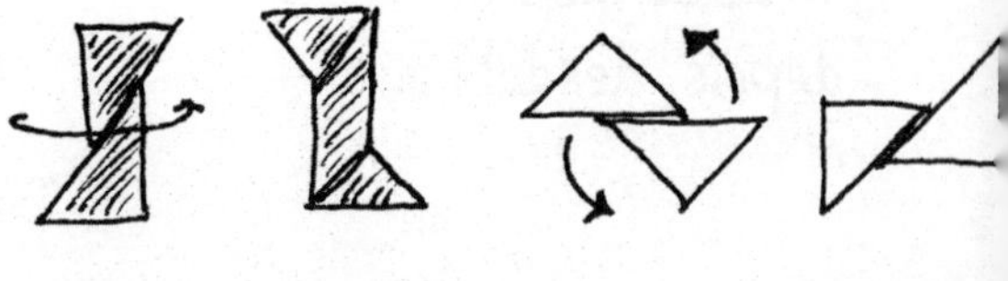

8. Coloque o papel branco em cima do vermelho.

9. Encaixe a ponta vermelha de cima no triângulo branco da direita, e a ponta vermelha de baixo no triângulo branco da esquerda.

Comece com a parte de cima:

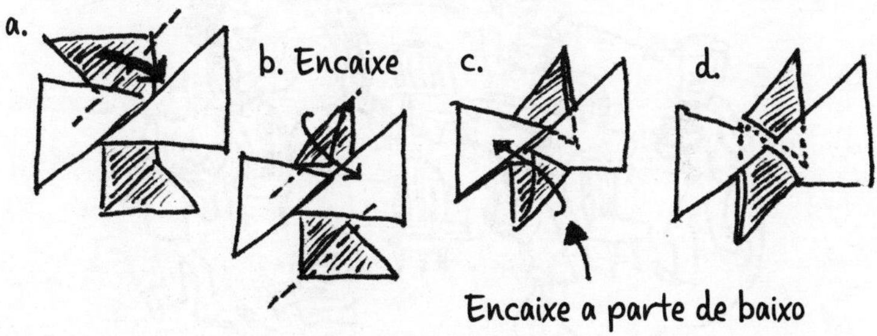


10. Vire do outro lado.

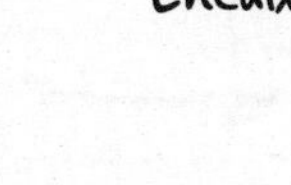

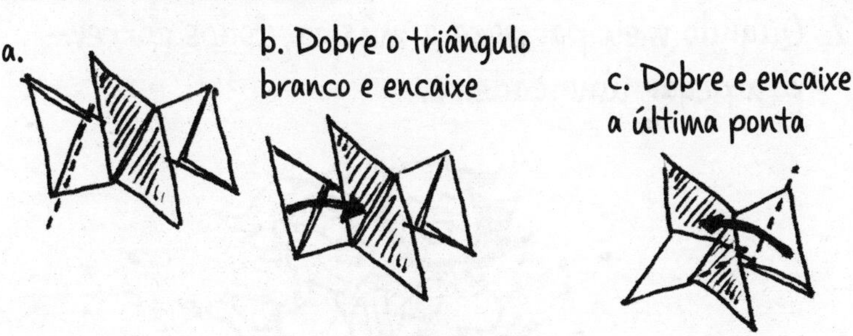




Tã-dããã! Pronto.

Fiz umas 12 estrelas. Amanhã faço mais.

Bom dia! Hoje deve ser quarta-feira, porque meu pai acordou mais cedo e preparou mais um Jogo Matinal. A gente brincou de jogo da cadeira sem perdedores. É meio bagunçado do nosso jeito.

1. Pra seis participantes, usamos cinco cadeiras. Então tomamos café da manhã andando em volta da mesa ao ritmo da música.

2. Quando meu pai para a música, todos correm pra pegar uma cadeira.

(Funciona melhor com uma tigela de cereal <u>sem</u> leite.)

3. Então, a gente tira uma cadeira e ficam seis participantes e quatro cadeiras.
4. A música começa de novo e todos andam (ou dançam) em volta da mesa.
5. De repente, a música para e...

A gente vai tirando as cadeiras até ficar só uma e seis participantes, todos rindo.

Tomar café da manhã brincando e dando gargalhadas não é fácil... mas é divertido!

Hoje vai ser um ótimo dia. Estou ansiosa pra reunião do Jornada. Quero mostrar meu dragão.

À tarde, na reunião, todos queriam ver os brinquedos dos outros alunos.

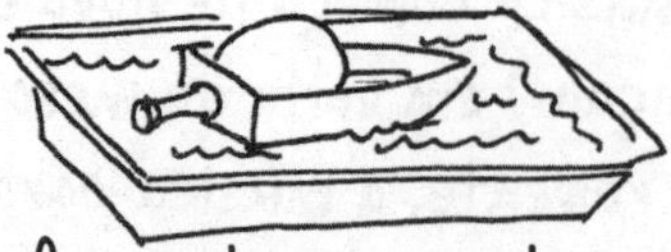

O Kev fez um barco usando um balão como motor.

A Kwanita fez uma boneca de papel que dança quando a gente coloca os dedos nos furinhos do tutu.

O Bae fez um cata-vento.

A Glenda fez uma marionete de esponja.

O Dalton fez uma tirolesa com uma miniatura da senhora Claire.

A Mo fez um móbile de passarinhos.

A Yasmin fez um pássaro que andava.

O Travis fez uma marionete de cavalo.

O Ryan desenhou a mãe dele em uma ficha de papel, fez furos no lugar dos ombros e colocou palitos de sorvete pra fazer os braços. Foi o boneco mais assustador que já vi na minha vida.

com a porca e o parafuso, os braços podiam se mexer pra cima e pra baixo

E eu fiz um dragão que voa.

O treino de futebol foi depois da reunião do Jornada.

Eu decidi que futebol é um esporte doloroso. Evidências:

- Meu pai obrigou a gente a fazer flexões e a correr, o que deixou meus músculos queimando.

- Dói saber que não sou boa nisso.

- E ainda tem a dor sem igual de conhecer a Vitória.

A pergunta da Vitória me pegou de surpresa. Por que eu estou no time? Eu gosto mesmo de futebol? Comecei a me sentir mal.

Falei pro meu pai que eu estava com dor de estômago e ele me deixou descansar um pouco.

Fiquei olhando as meninas em campo e acho que a Vitória estava certa. Elas jogam muito melhor sem mim.

Eu estava doida pra ir pra casa, mas, quando cheguei, fiquei com vontade de estar em outro lugar. A Lisa e o Josh estavam fazendo uma competição de cestas.

— Ellie! Pegue! — o Josh jogou a bola pra mim.

A Lisa cantou:

— Ellie, Ellie, Ellie!

Eu joguei a bola. Errei. Tentei mais algumas vezes. A Lisa e o Josh começaram a errar os arremessos. Reparei na expressão facial deles e entendi tudo: eles perceberam que eu sou péssima em basquete e queriam me deixar ganhar!

Eu não quero ganhar porque alguém me deu uma vantagem injusta. Eu quero ganhar porque os outros fizeram o melhor que puderam e eu joguei melhor que eles!

Naquela noite, eu deveria fazer a lição de casa, mas eu não conseguia parar de pensar no futebol e no que era melhor pro time.

Montei uma lista de coisas que eu podia fazer:

- Treinar mais pra ser uma jogadora melhor (será que isso é possível?).
- Sair do futebol (meu pai vai ficar bravo?).
- Mandar a Vitória se jogar do arcobotante (existe isso por aqui?).
- Aceitar que nunca serei boa no futebol. Procurar um esporte diferente (e se eu for péssima nesse esporte também?).
- Tornar o futebol divertido (mas como?).

Na quinta-feira, a gente finalmente conseguiu jogar os jogos gregos. O Bingo dos Deuses e o Revezamento de Tocha eram simples demais. Vinte Questões sobre a Grécia Antiga parecia lição de casa. Eu estava louca pra mostrar o jogo do meu grupo: Falando Grego.

A professora Whittam abriu a tampa e...

Uma Mamãe Noel de papel! Com presas! Todos riram. Depois de um tempão, todos se acalmaram e eu contei a história da Mamãe Noel pra eles e expliquei por que ela estava na caixa do jogo (nem eu sabia o porquê). O jogo do meu grupo até ficou menos divertido perto da Mamãe Noel.

No treino de futebol, eu evitei a Vitória.

Na hora do aquecimento, acompanhei o grupo e tentei não reclamar.

Na corrida, fiquei no meio das meninas.

No campo, não parei de olhar pra bola.

Eu até guardei meu diário e a caneta pra me concentrar no jogo.

Mesmo depois de tudo isso, eu continuo sendo péssima. E não estou falando do meu chulé, que eu também acho péssimo. Tirei uma chuteira pra ver se o cheiro estava forte. A Vitória percebeu e falou pra eu colocar de volta. Eu mostrei a língua pra ela. Meu pai viu tudo.

Esta sou eu, correndo em volta do campo por atitude antiesportiva.

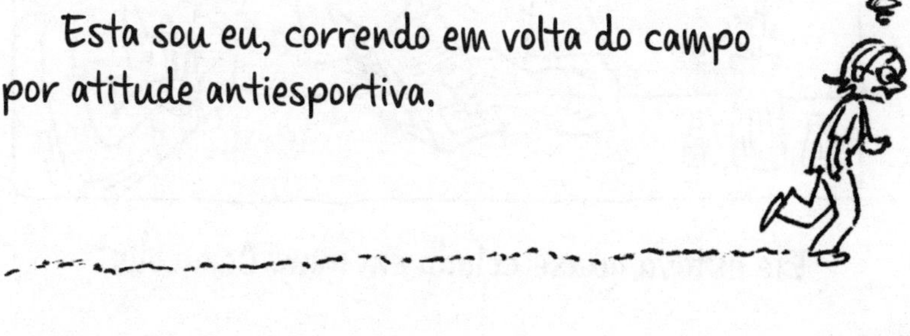

Acho que meu pai percebeu que eu estava irritada porque eu não falei nada o caminho todo. Paramos em um restaurante grego. Ficamos alguns minutos na fila. Silêncio constrangedor.

Enfim, uma mesa. Ele sentou em um lugar de onde podia ver todas as portas (ele chama de cadeira do poder). Eu peguei a cadeira que estava na frente da cadeira do poder. Ele arrastou a cadeira dele pra bem perto da minha fazendo um BARULHÃO. Parecia um bugio. Até as pessoas que estavam do outro lado da rua ouviram!

Ele estava quase colado em mim. Carácolis.

A gente estava comendo sanduíche de faláfel com salada grega, quando meu pai começou: — Tá legal, campeã. Pode falar. O que está rolando entre você e o futebol?

Eu cruzei os braços.

— Ellie, estamos no mesmo time. Desembuche.

Fui honesta com ele. Falei tudo: eu odiava o aquecimento e não jogava nada bem, e a Vitória era arrogante comigo todos os dias.

É claro que meu pai me falou tudo que eu precisava ouvir. Ele disse que não tinha problema nenhum se eu não gostasse do aquecimento ou ficasse brava com o técnico e com as meninas do time. Afinal, ninguém é perfeito em um esporte novo.

Ele perguntou se eu me divertia pelo menos um pouco com futebol. Tive que pensar por um tempinho, mas respondi que sim.

Aconteceu uma coisa engraçada. Eu não precisava da permissão do meu pai pra sair do time. E ele nem me deu permissão, mas eu sabia que não tinha problema.

Em casa, eu e meu pai fomos jogar bola no quintal. A gente se divertiu bastante, até que começou a chover.

Naquela noite, eu estava quase dormindo quando ouvi um trovão. A cada relâmpago, o quarto ficava todo iluminado. Mas eu não fiquei com medo. Eu me senti segura e quentinha, protegida pelo teto. E pelo meu pai. Decidi ficar no time.

Boa noite, Ofélia, minha doce ratinha.

No dia seguinte, o mundo estava cheio de água.

Quando eu era pequena, eu adorava a chuva. Eu pulava em todas as poças d'água e ficava encharcada.

Hoje, eu pulo as poças pra não me molhar. Quando uma pessoa corre na chuva, ela se molha mais porque é atingida por mais gotas de chuva? Ou ela se molha menos porque corre entre as gotas da chuva? Como eu não tinha certeza, eu corri metade do caminho pra escola e andei durante a outra metade. Se eu tivesse ido pra escola nadando, eu teria me molhado menos.

Na hora do almoço, a gente não foi pro pátio da escola, porque ainda estava chovendo. Algumas crianças brincaram de futebol americano de dedo.

## Como Fazer uma Bola de Futebol Americano de Dedo

1. Dobre uma folha de caderno ao meio na vertical.

2. Dobre a folha ao meio na vertical mais uma vez.

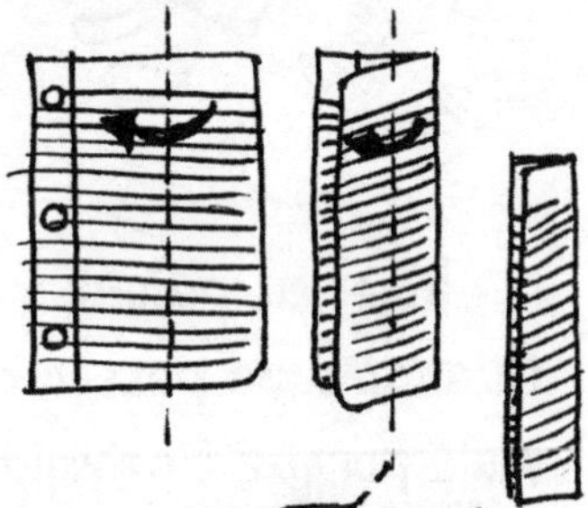

3. Dobra estilo bandeira: dobre uma ponta pra baixo, formando um triângulo.

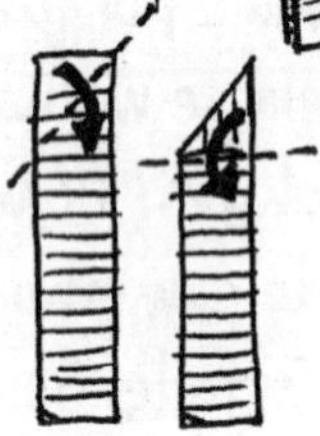

Continue dobrando o papel como no desenho abaixo, até não sobrar mais espaço pra fazer triângulos. Faça dobras firmes.

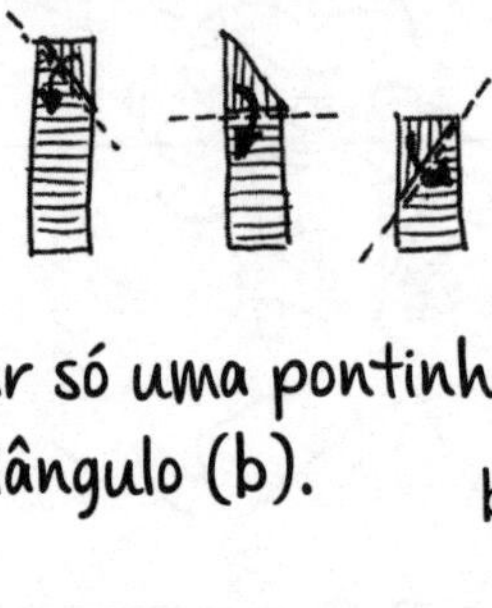

Quando sobrar só uma pontinha (a), dobre-a pra dentro do triângulo (b).

# Como Jogar Futebol Americano de Dedo

1. Na primeira rodada, o jogador A apoia a bola-triângulo na mesa e dá um peteleco na bola na direção do jogador B.

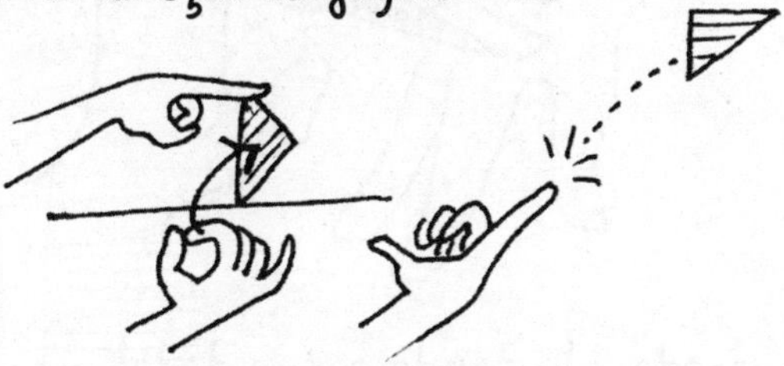

Para fazer um *touchdown* de seis pontos, a bola tem que parar na mesa perto do jogador B.

2. Se o jogador A fizer um *touchdown*, ele pode tentar fazer o ponto extra, posicionando a bola no meio da mesa e dando um peteleco nela em direção às balizas de dedo do jogador B.

3. Então, o jogador B tenta fazer um *touchdown*.

Variação:

- Os jogadores têm três tentativas pra fazer um *touchdown*, em vez de uma só.

Eu e a Mo fizemos gritos de guerra pro futebol americano de dedo. A gente fez a coreografia com as mãos.

Edo, e-edo, chutando com o dedo!
Ão, ã-ão, chutando com o dedão!
Unha, u-unha, chutando com a unha!

Acho que eu deveria inventar gritos de guerra pro nosso time de futebol.

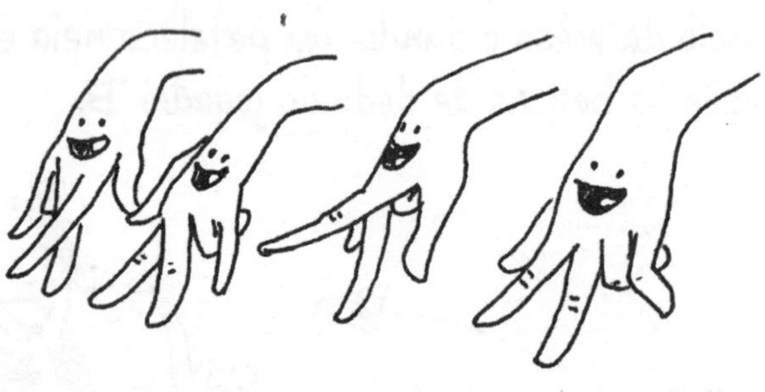

Zelo, ze-zelo, chutando com o tornozelo!
É, é-é, chutando com o pé!
Elho, e-elho, jogando com o joelho!
Eça, e-eça, jogando com a cabeça!

Tã bom, preciso melhorar um pouco a letra. Mas a ideia foi boa.

No fim do dia, a diretora, senhora Pingo, anunciou pelo alto-falante que semana que vem será a Semana Temática. Cinco dias de diversão pra motivar os alunos.

Mo: Semana que vem vai ser a melhor semana do ano.

Eu: Por causa da Semana Temática?

Travis: Você esqueceu?

Eu: Não acredito! (olhos arregalados)

Travis: Que melhor amiga VOCÊ é, hein?

Eu: Quieto, Travis! Mo...

Travis: Uma MELHOR amiga ia lembrar!

(Mo: sorrindo o tempo todo)

Eu: Eu não esqueci.

Travis: Aposto que você também esqueceu que a Festa dos Jogos vai ser na minha casa esse fim de semana.

Eu: Oh!

Travis: Você esqueceu disso TAMBÉM! Bom, avise a sua família. E não leve a Mamãe Noel.

No caminho pra casa, fiquei o tempo todo pensando em como fazer alguma coisa especial pro aniversário da Mo na semana que vem.

Tinha chovido muito. Fomos pro treino de futebol. O campo tinha mais terra do que grama, então parecia uma poça enorme de lama. A gente deslizava e escorregava, espalhando um monte de lama toda vez que alguém chutava a bola.

E estava mais difícil chutar a bola. Às vezes, ela ficava presa no chão.

A Vitória ganhou um novo apelido: Laminha. Acho que eu ri alto demais por um tempão.

Mas eu não era a única que estava gostando. Todas riram muito. A gente estava encharcada de lama grudenta!

Se o futebol fosse divertido assim todo dia, eu nunca iria querer sair desse time!

O jogo de futebol feminino da universidade vai ser hoje à noite. Será que elas jogam bem na lama?

A Mo, a Fifa, a Zoni e a Laminha (ou melhor, Vitória) chegaram limpinhas na minha casa, vestidas com as cores da universidade e prontas pro jogo de futebol. Minha mãe insistiu em tirar uma foto nossa.

A gente se amontoou como um bando de palhaços em um fusca e foi pro estádio. No caminho, cantamos o grito de guerra da universidade umas mil vezes pro meu pai. Primeiro, com a voz normal, depois alto, baixo, com sotaque britânico, com sotaque francês, imitando surfista, marciano...

A gente conseguiu cantar várias versões diferentes por causa do trânsito. Meu pai até tentou fazer outro caminho, mas não adiantou. Só deu mais tempo pra gente cantar.

O jogo foi MUITO LEGAL!!!

Os times tinham líderes de torcida! Do sexo masculino! E uma banda! E um público enorme, que cantava os gritos de guerra. Eu, a Mo e a Laminha escrevemos tudo. A gente queria ensinar pro resto do nosso time, pra deixar os nossos jogos mais divertidos.

E as jogadoras! Elas foram DEMAIS! E correram MUITO. Até que foi divertido assistir. Só por estar ali já me senti uma jogadora melhor.

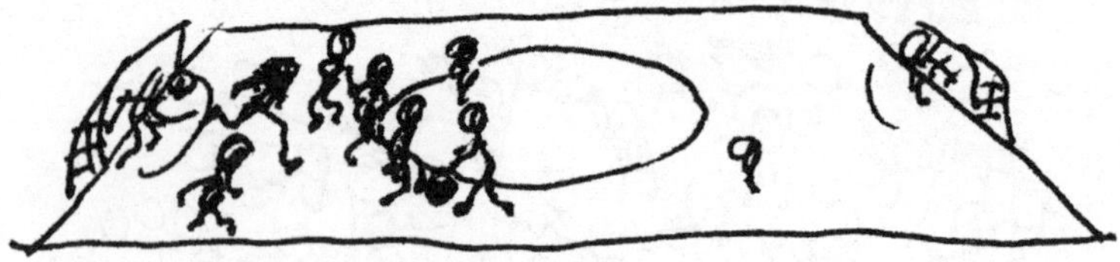

A Fifa e a Zoni ficaram quase o jogo inteiro no corredor comprando coisas. Que desperdício de ingressos. Eu poderia ter levado o Travis ou o Dalton!

A Mo convidou a Laminha pra reunião dos Jogos da Amizade e ela disse que já estava pensando em ir mesmo.

Eu estou me dando bem com a Laminha, mas isso não significa que eu quero que ela esteja em todos os eventos da minha vida.

No fim do jogo, meu pai levou a gente pro campo (que, por sinal, já não estava mais cheio de lama) pra conhecer as jogadoras.

Eu perguntei pra minha jogadora preferida como ela fazia pra driblar tão bem.

Mas quanto tempo? Eu falei pra ela que pratiquei por uma semana quase sem parar.

Ela disse: – Continue assim. Depois de alguns meses, você estará bem melhor.

Meses! Eu queria que fossem horas. Ou minutos.

O jogo de hoje me fez querer gostar mais de futebol. Amanhã, temos dois jogos e depois a Festa dos Jogos na casa do Travis, à noite. Tentei não pensar na Festa dos Jogos como uma recompensa depois de um dia longo de sofrimento (os jogos do nosso time de futebol).

Depois de deixar a minha bola de futebol confortável e pensar só em coisas boas sobre o time, fiz mais algumas estrelas pra coroa do Thomas.

Total de estrelas: 19.

Isso me fez pensar: o que fazer pro aniversário da Mo na sexta-feira que vem?

Sábado de manhã, acordei pensando no presente de aniversário da Mo. Tive um lapso momentâneo de bom senso e pedi pra Lisa me dar ideias.

— Compre um perfume pra ela.

A Mo não gosta dessas coisas.

— Grampos de cabelo chiques.

Ela não usa grampos. Ela faz maria-chiquinha e depois faz dois coques. Nada de grampos.

— Compre um livro com penteados novos. Ela precisa aprender sobre o mundo da moda.

A Lisa queria que eu fizesse a Mo achar que o cabelo dela não é bonito o bastante?

Na mesma hora, o Josh entrou.

Josh: A indústria da moda cresce porque as mulheres não se acham bonitas o bastante.

Eu: Josh, você está em desvantagem. Dois a um. Melhor você reformular essa frase.

Josh: Por que você não dá pra ela o que <u>você</u> mais quer?

Eu: O que <u>eu</u> quero? Por quê?

Josh: Pra poder pegar emprestado. Se bobear, ela pode até dar de presente pra você um dia!

Eu: Não.

Josh: Compre o que eu quero. Uma cabra.

Eu: Não.

Josh: Um cobertor com mangas.

Eu: Não. Três tentativas. Chega.

Lisa: Quer comprar uma coisa linda de verdade? Compre um gatinho pra ela.

Eu: Não. Eu GOSTO da Mo. Por que eu daria um instrumento de tortura pra ela?

Lisa: Compre uma pulseira de futebol pra ela usar nos jogos.

Eu: É proibido usar pulseira nos jogos!

Então, meu pai entrou e contou histórias esquisitas sobre lesões causadas por pulseiras, anéis e colares em esportes.

A Lisa e o Josh queriam ouvir todos os detalhes sórdidos. Eu não. Além disso, já estava na hora de me arrumar pro jogo. Verifiquei se eu estava com as duas caneleiras (eu não queria reviver o Dia do Chute na Canela).

As minhas chuteiras ainda estavam úmidas do treino. O cheiro era INSUPORTÁVEL.

Joguei um punhado de talco nas chuteiras e coloquei elas nos pés.

Uma enorme nuvem branca se formou em volta dos meus tornozelos, deixando minhas meias, chuteiras, o calção e o chão cheios de pó branco (e com cheiro de chulé misturado com talco).

De repente, pensei uma coisa: se os bebês tivessem esse cheiro, seria o fim da humanidade.

Tentei espalhar o pó pra longe. Comecei a tossir, ele se espalhou pra mais longe ainda e não foi NADA fácil tirar o pó das roupas. Carácolis.

Cheguei ao campo de futebol com os pés cheios de talco. A cada passo que eu dava, uma nuvenzinha subia. Então, corri atrás de todas as meninas pra que ninguém percebesse.

Meu pai passou o aquecimento de sempre pra gente fazer. Eu alonguei todas as partes do meu corpo (algumas delas eu nem sabia que tinha).

O ônibus do outro time chegou. As jogadoras desceram parecendo gazelas graciosas. O uniforme delas era bem legal. E eu não vi nenhum pó saindo do pé delas.

Elas se amontoaram, e uma delas gritou:

– Oba, oba, oba!

E as outras gritaram: – Oi, oi, oi!

Eu não tinha a mínima ideia do que aquilo queria dizer, mas fiquei de pernas bambas. Elas estavam tão confiantes. Era assustador!

As famílias das jogadoras do nosso time chegaram. Pro nosso constrangimento, eles estavam com pompons e CHOCALHOS. Fiquei muito nervosa.

O Josh levou os amigos dele, Iggy e Doof, que levaram umas flautas estranhas chamadas kazoos. Eles viram o jogo bem de perto, animaram a torcida e tocaram músicas na hora certa.

Claro que todos repararam neles.

Principalmente as meninas do meu time.

A Hanna, a Boni e a Raio de Sol arrumaram o cabelo em campo. Colocaram as camisas por dentro do calção e ajeitaram as caneleiras enquanto olhavam pro Josh, pro Iggy e pro Doof. A Roni passou até batom. Fiquei enjoada de ver as meninas se enfeitando e flertando. O Josh é meu irmão, não um bonitão qualquer!

Eu consegui jogar um pouco no começo do jogo. Cometi alguns erros.

1. Passei a bola pra Joni, mas o outro time interceptou a jogada. Eu deveria ter jogado pra Laminha, que estava mais perto de mim. E livre. Ops. O outro time fez gol.

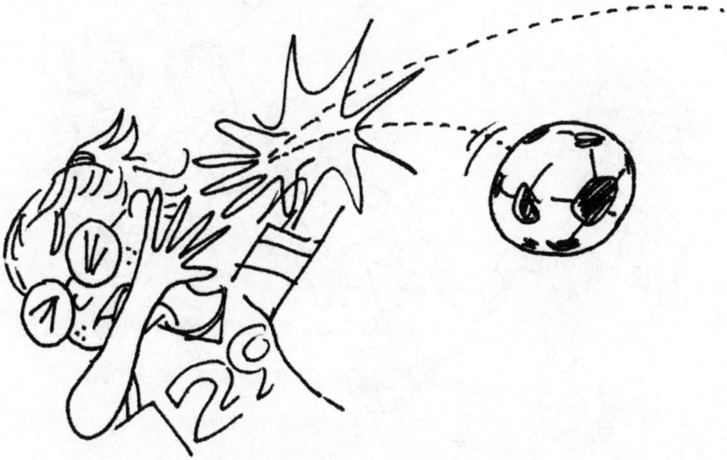

2. A bola veio em direção à minha cabeça e eu coloquei as mãos na frente pra me proteger. Na hora, ouvi um apito: – Mão!
Pênalti para as nossas adversárias. Elas fizeram MAIS UM GOL, por culpa minha. Eu estava perto do meu pai, perto o suficiente pra ouvir o sussurro dele:

Mas que droga!

Quando eu achava que as coisas não podiam piorar, elas pioraram. Fui chutar a bola, minha chuteira saiu voando do meu pé e bateu na perna da Laminha.

Uma jogadora do outro time falou pra mim:

— Bela jogada, lançadora de chuteiras!

O jogo continuava e meu pai falava cada vez mais alto. Primeiro, ele sussurrava e depois ele começou a gritar palavrões.

Xarope de glicose!

Calorias vazias!

Aromatizantes artificiais!

(A alimentação errada é um palavrão pro meu pai.)

Alguns pais de alunos usavam os palavrões e inventavam outros. Eles liam o rótulo dos doces e escolhiam ingredientes pra gritarem quando nosso time errava uma jogada.

Gordura vegetal parcialmente hidrogenada!

Emulsificante!

Goma-laca!

Minha mãe e as amigas dela estavam adorando o jogo. Elas sacudiam os pompons e cantavam músicas de 30 anos atrás. Os chocalhos delas faziam MUITO barulho. Elas balançavam toda vez que a gente acertava uma jogada.

Elas não podiam guardar os chocalhos pra quando a gente marcasse gol, porque a gente só marcou uma vez.

Nossos pais estavam enlouquecidos. O pai da Roni corria pra cima e pra baixo na linha lateral do campo, tentando motivar a filha (só ela). Ele é a torcida individual dela.

Perdemos o primeiro jogo por 5 a 1. Meu pai tentou animar a gente: – Vamos pensar no próximo jogo. Vocês sabem como vencer. Vocês podem vencer. Não baixem a guarda. Prestem atenção em campo.

Fomos pro segundo jogo animadas e prontas pra vencer. Cinco minutos depois, o placar era 0 a 0. Todas as jogadoras se amontoaram no gol das Mustangues. Metade queria jogar a bola no gol e a outra metade queria manter a bola fora dele.

Eu joguei pra valer. Eu joguei pra ganhar. Eu estava determinada, faria qualquer coisa pra marcar.

Então, aconteceu uma coisa estranha. Eu fiz um GOL...

A Fifa passou a bola pra mim. A bola bateu na minha canela. Eu nem chutei a bola. Quero deixar isso bem claro.

A bola rolou pra dentro do gol, e pronto. O que eu quero dizer é que a bola bateu em mim e foi pra dentro do NOSSO gol. O OUTRO time marcou. Por culpa minha!

Elas dançaram, gritaram e riram. Depois, gritaram: – Valeu, lançadora de chuteiras!

As meninas do meu time vieram pra perto de mim e disseram coisas do tipo "Está tudo bem", "Poderia ter acontecido com qualquer um" e "Hoje não é nosso dia".

A Mo me abraçou e disse: – Não foi nada de mais.

A Roni me chamou de comédia dos erros, como na *peça*. Acho que vou rir disso um dia, mas esse dia ainda não chegou. Perdemos o segundo jogo por 4 a 3. Por um gol: o MEU gol.

Como a gente perdeu os dois jogos, tivemos que correr em volta do campo (como se perder já não fosse um castigo).

Na metade da terceira volta, a Loni começou a correr na direção das nossas coisas. Ela pegou a mochila e foi até o carro da mãe dela. Entrou no carro e foi embora.

Que PÉSSIMA hora pra desistir. A gente nem começou! Ela tinha que dar uma chance pro time.

O time se dividiu entre as meninas que achavam que era covardia da Loni desistir agora e as que gostariam de ter coragem de sair do time também.

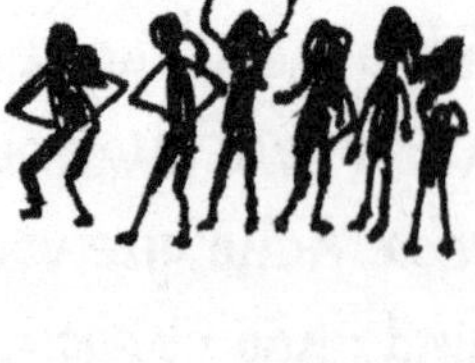

Era só briga. Fiquei feliz de ir pra casa.

Fui pra casa e o Josh e a Lisa estavam carregando cadeiras. Eu quase esqueci (de novo)! É dia de festa!

A Festa dos Jogos é uma tradição que criamos com as nossas quatro famílias. Uma noite por mês, a família da Mo, do Travis, do Iggy e a minha se reúnem na casa de alguém pra jogar.

As crianças pequenas brincam com jogos de tabuleiro e os adultos jogam coisas complicadas, como buraco e majongue (da China).

O resto (ou seja, a gente) faz uma coisa divertida. É um tipo de desafio entre as famílias pra ver quem inventa o jogo mais divertido.

O pai do Travis leva o desafio MUITO a sério. Na verdade, ele até pesquisa pra encontrar brincadeiras antes de qualquer outra pessoa. Pra isso, a gente responde: pode vir com tudo!

Quando algumas brincadeiras acabam, os grupos se misturam e a gente inventa outras.

Em uma das brincadeiras, a gente montava uma casa de cartas. A equipe que derrubasse todas as cartas tinha que ficar em pé no meio de todos e dançar hula-hula por 60 segundos. O Travis derrubou as cartas.

O pior de tudo era que o Travis estava na minha equipe! Não gostei NADA disso.

Ninguém dos outros grupos sabia por que eu e o Travis estávamos dançando hula-hula. Eles acharam muito engraçado. E é claro que filmaram. O vídeo vai durar pra sempre, eu sei.

Pra compensar a nossa humilhação, o Travis ensinou a gente a jogar fumaça ou fogo:

O jogador A segura o monte e mostra uma carta por vez.

Se o naipe for preto ♣♠, o jogador B diz "fumaça", e o jogador A mostra outra carta. Se o naipe for vermelho ♦♥, o jogador B diz "fogo".

Foi só isso que o Travis explicou pra gente. Ele testou com a Mo e mostrou cinco cartas.

— Fogo? Beleza!

Depois, o Travis falou pra gente brincar de pega 52 (pegar as 52 cartas do chão). Todos ajudaram.

A Festa dos Jogos acabou depois da hora de as crianças irem dormir. Mesmo assim, a gente teve que ir embora contra a nossa vontade.

Em casa, contei quantas estrelas eu tinha feito pra coroa do Thomas. Trinta e sete. Mas eu queria fazer 100. E os Jogos da Amizade são amanhã!

Fiquei acordada fazendo estrelas até não aguentar mais.

Acho que fiquei acordada até muito tarde, porque tive um sonho muito louco. Sonhei que eu estava fazendo mais estrelas.

De manhã bem cedinho, a gente foi para os Jogos da Amizade. Acho que havia umas mil pessoas lá. O barulho era MUITO alto, por causa da música no alto-falante e das torcidas.

A família da Mo e eu pegamos uma lista que mostrava a hora e o lugar certos pra gente ficar.

De mãos dadas, a gente formou uma corrente e foi até a quadra de vôlei.

Quando o Thomas entrou, era meio-dia. A minha tarefa (e da Mo) era assistir da arquibancada, torcer por todos os atletas e abraçá-los quando o jogo terminasse.

A gente viu outras pessoas dando balões e flores pra alguns atletas. (Nada de troféus.)

Meu rosto doía de tanto sorrir.

De repente, fiquei tão emocionada que começaram a cair lágrimas dos meus olhos.

O Thomas se sentia muito à vontade com os outros alunos. Ali, ele não era diferente, ele era apenas mais um aluno.

O Thomas nem parecia estar nervoso antes do jogo. Ele pulava pra todos os lados e torcia pelos outros atletas. Quando chegou a vez dele, ele sorriu e pediu pra gente prestar atenção. A Mo preparou a máquina dela.

A bola passava por cima da rede toda vez que o Thomas jogava. Acho que ele é melhor no vôlei que eu no futebol.

Eu e a Mo torcíamos bem alto:

Vai, Thomas, dê um salto!

Vai, Thomas, bola pro alto!

(Foi o melhor que a gente conseguiu inventar na hora.)

Vai, Thomas, mostre pra gente!

Vai, Thomas, estamos contentes!

No fim de cada jogo, os jogadores dos dois times se abraçaram. No futebol, a gente dá um tapinha na mão das outras jogadoras e diz “bom jogo”. (Na verdade, a maioria nem acha isso.)

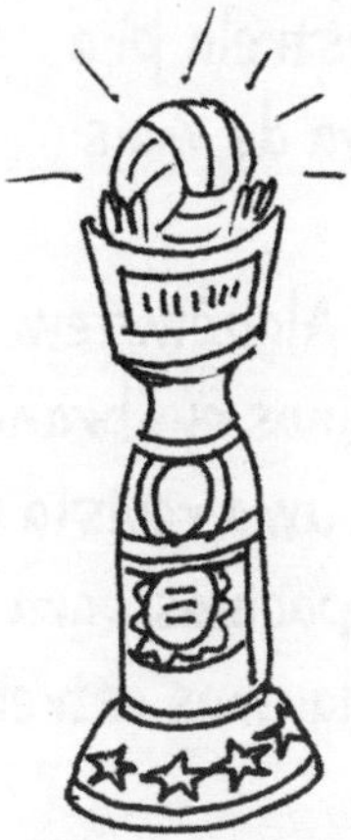

A gente entrou na fila pra abraçar o Thomas e os outros alunos do time. A Mo deu um troféu novo pra ele. Tenho certeza de que foi ela que fez. Ficou muito legal.

O Thomas abraçou a Mo bem forte.

Eu peguei a coroa que eu fiz com estrelas ninjas e coloquei na cabeça do Thomas.

Ele adorou! Os olhos dele brilharam. Ele levantou as mãos pra sentir a coroa. Ele deu o sorriso mais largo que eu já vi na vida.

Ele tirou a coroa pra ver melhor. De repente, ele começou a tirar as estrelas. Por quê?

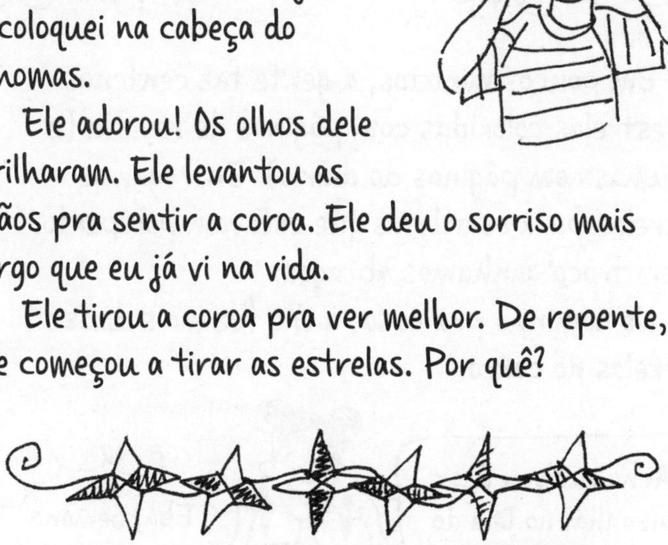

Ah, entendi. Ele queria dar uma estrela pra cada atleta! Ou seja, a gente precisava de mais estrelas, e rápido!

Eu entrei em ação e perguntei: — Alguém tem papel? Estava prestes a rasgar as páginas em branco deste diário quando a mãe da Mo tirou uma revista da bolsa. Era perfeita! Eu rasguei várias páginas para as pessoas ao meu redor. Cada um fazia algumas estrelas e ensinava os outros a fazer também.

Em poucos minutos, a gente fez centenas de estrelas coloridas com páginas de revista (e algumas com páginas do diário). Entregamos estrelas para os atletas que estavam por perto. E em troca ganhamos abraços.

No caminho pra casa, a Mo fez mais duas estrelas no carro:

Normalmente, é difícil sair da cama na segunda de manhã. Mas hoje, pulei da cama rapidinho. É a Semana Temática! Mais especificamente, Dia do Cabelo Louco.

A Lisa se ofereceu pra fazer meu penteado. Ela colocou uma estátua na minha cabeça e prendeu meu cabelo em volta. Ficou parecido com uma fonte jorrando água.

Eu não entendi o que ela disse, mas adorei o penteado. O Josh também gostou e pediu pra ela fazer o mesmo penteado nele.

Ele queria fazer uma fonte verde, mas a mamãe não deixou. Acho que a Lisa seria uma boa cabeleireira.

Mãe: Parabéns, Lisa! Ellie, você ficou, hum, linda. Josh, é muita coragem sua ir pra escola desse jeito.

Josh: Tomara que tirem a foto pro meu anuário.

Eu: Mãe, a Mo quer furar as orelhas. Eu perguntei pra mãe dela se a gente podia fazer isso no aniversário dela e ela disse que sim. Você vai com a gente?

Josh: Eu posso furar, se ela quiser.

Todas olhamos feio pra ele.

Eu: Pode ser quinta-feira depois do futebol? (ignorei o Josh)

Lisa: Como você furaria as orelhas dela? (ela NÃO ignorou o Josh)

Josh: Ah, eu andei treinando a minha mira com os dardos.

Eu: Hum, deixe-me ver, vou pensar um pouco. Pronto, pensei. NÃO!!!

Mãe: Claro. Vou ligar pra mãe da Mo.

Eu: Obrigada, mãe! Ah, mais uma coisa: você pode falar pra mãe dela que eu quero que seja surpresa?

Eu fiquei tão animada com o presente da Mo que fui correndo pra escola. Hum. Está cada dia mais fácil correr. Esqueci que meu cabelo estava esquisito. Quando entrei na escola, vi que todos estavam surpresos. Mas eles estavam engraçados também. Eu e a Mo caímos na gargalhada quando nos vimos.

Até os professores estavam engraçados.

No almoço, a gente conversou sobre os Jogos da Amizade. Contei pro pessoal sobre o troféu que a Mo fez pro Thomas.

Mo: Eu gostaria de fazer troféus pra todos os participantes dos Jogos da Amizade. Eles ficariam tão felizes!

Eu: Eles iam adorar mesmo!

Travis: A gente poderia ajudar vocês a fazer.

Mo: Mas seria muita coisa pra gente fazer.

Kev: A gente poderia comprar.

Travis: Então, você ganhou na loteria?

Mo: Peraí, a gente podia juntar dinheiro pra comprar os troféus. Mas o que a gente iria vender?

Eu: ARTE! Os meus desenhos, as suas fotos...

Travis: Pode dar certo! A gente poderia pedir pro pessoal do Jornada ajudar na organização!

Mo: Então acelera, galera!

Depois do almoço, na aula do professor Brendall, mais um trabalho em grupo. Eu deveria ter desconfiado quando ele passou as luvas de plástico para os alunos: ia ser absolutamente, totalmente, inteiramente e completamente nojento. Eu não queria nem olhar.

Mas, até que foi legal: dissecar uma lula!

O cheiro acordou o Ahmed, que perguntou se eu tinha esquecido de lavar as axilas.

Ha, ha. (Não teve graça.)

O James cutucou a lula pra ver se ela espirrava alguma coisa nojenta.

A gente perdeu um tempão fazendo bagunça. Eu não queria, mas comecei a dissecar a coisa.

Cortei isso. Achei aquilo. Mexi nisso. Acho que fiz um bom trabalho. Coloquei etiqueta no bico, nas ventosas, na cabeça, nos dois tentáculos e na bolsa de tinta.

O James mostrou as partes mais óbvias: dois globos oculares, duas barbatanas e oito tentáculos.

Pedi três vezes pro Ahmed contar os corações (que são três).

Enfim, chegou a hora da última parte da tarefa: desenhar com a tinta da lula!

De repente, a Sitka arrancou a tesoura da minha mão e furou a bolsa de tinta. Ela mergulhou a caneta (uma parte estranha de plástico do corpo da lula) na tinta e começou a desenhar.

Por que ELA desenhou primeiro? Ela ficou o tempo todo sentada sem fazer nada, e eu fiz toda a parte difícil, dissecando a lula-zumbi.

Eu estava prestes a pegar a caneta da mão dela quando o professor Brendall apareceu atrás da gente.

– Vocês estão cooperando e agindo como uma equipe. Muito bem, pessoal!

Hunf. Sei. Os outros estavam cooperando MUITO.

Quando eu fico muito frustrada e não posso me jogar no chão, espernear e gritar (que é a minha vida desde que eu tinha 4 anos), fico muito criativa e começo a ter ideias.

Em vez de dar um chilique, criei carinhas com símbolos e letras no computador da sala. Depois, inventei uma história pra elas:

```
Ö-Ö
.: c :.
v
```

1. A Ellie Robô está feliz na aula de Ciências.

```
)))(((
6 . 6
(VV)
```

2. De repente, surge uma lula-zumbi com cabelo de Medusa.

```
Ö-Ö
.: c :.
(VV)
```

3. A Ellie Robô se transforma na sua arma secreta: a Ellie Robô Vampira!

```
))))((((
,>.<,
, @ ,
```

4. A lula-zumbi com cabelo de Medusa começa a chorar e foge.

Na reunião do Jornada, a gente tinha acabado de fazer uma atividade quando a professora Trebuchet entrou na sala.

O Travis mencionou os nossos planos de arrecadar dinheiro com arte. No mesmo instante, ela pegou o celular, ligou pra Galeria de Arte do Art, falou por dois minutos e desligou.

Ela disse que a gente podia fazer um bazar na galeria na sexta-feira. Então, eu falei que a gente ainda não tinha nenhuma obra de arte pra vender! Ela disse que já estava tudo certo e que era pra todos se encontrarem na galeria amanhã pra criar as obras.

É claro que ficamos todos chocados. Ela organizou tudo em DOIS minutos? Bom, nem tudo. A gente ainda precisava fazer algumas obras de arte de mil dólares.

A professora Trebuchet perguntou: — Então, tudo certo?

Eu gritei: — A gente vai fazer dar certo!

O nosso bazar de arte vai ser em uma galeria de arte de VERDADE! Nossa. Vai ser melhor do que eu imaginava!

A senhora Claire disse que esse projeto também servia pro grupo Jornada, porque a gente precisaria usar a criatividade e a capacidade de organização.

Mas pra gente era só diversão: levar amigos pra galeria, pintar quadros e fazer molduras, pendurar tudo nas paredes e convidar todos os conhecidos pra admirarem e comprarem obras de arte.

Depois, era só a gente entregar o dinheiro pra que o responsável pelos Jogos da Amizade comprasse os troféus.

Quando a gente parou de comemorar por causa do bazar, a senhora Claire continuou nossa reunião do Jornada. O desafio de hoje era desenvolver o espírito de equipe. Não que a gente precisasse aprender.

A gente começou com dez pessoas em uma lona azul bem grande. Muito fácil. A senhora Claire foi diminuindo o espaço aos poucos. Em pouco tempo, éramos dez pessoas espremidas em cima de um bloco de concreto bem pequeno.

Pra não deixar ninguém cair, o jeito era dar as mãos ou se abraçar. Não havia outra maneira.

A senhora Claire disse que a vida é assim também: somos interdependentes. Nenhum homem é uma ilha. Eu admito: com isso, passei a me sentir um pouco melhor com trabalhos em grupo.

Como sempre, fomos pro treino de futebol depois do Jornada. Só que o futebol foi diferente dessa vez.

Eu e a Mo treinamos juntas em um canto do campo, enquanto meu pai treinava as outras meninas do time. Ele disse que eu precisava me aperfeiçoar. Fiquei com vergonha, mas concordei. Eu e a Mo praticamos dribles, passes e gols (do lado certo). Acho que vai me ajudar no próximo jogo.

À noite, treinei sozinha no quintal. Eu não sou uma ilha. Sou uma península! Ou um continente? Bom, como diria o Josh, é melhor que ser incontinente.

Falando no Josh, na terça de manhã abri a porta do meu quarto e um saco cheio de confetes caiu na minha cabeça. O confete se espalhou por todo o meu quarto, na escada e em mim. Eu tinha confete até na boca!

Ainda cheia de confetes, desci as escadas.

O Josh estava na cozinha, rindo como uma hiena. Eu parei perto dele e chacoalhei a cabeça, igual a um cachorro molhado.

Os confetes saíram de mim e foram nele.

A melhor parte: meu pai fez o Josh limpar tudo. Eu abracei meu pai e fui tomar café.

Depois do café da manhã, eu me vesti pro Dia da Roupa Estranha, o segundo dia da Semana temática na escola.

A minha família me ajudou.

Eu fiz a Mo prometer que não ia colocar a minha foto na internet. (Ops, esqueci de pedir pra ela não imprimir a minha foto, colocar numa moldura e pendurar na parede da galeria de arte.)

O Dalton gostou do meu visual com um tênis diferente em cada pé e pediu pra trocar um tênis com o James. De repente, os outros começaram a trocar os tênis e todos ficaram com tênis diferentes, como eu e a Mo. Rá! Inventamos uma tradição!

Nossas famílias ajudaram a gente a divulgar o bazar de arte. Convidamos o pessoal da escola e do time de futebol pra ir até a Galeria do Art hoje à noite pra ajudar no Bazar Criativo em Prol dos Jogos da Amizade.

A Galeria do Art estava muito cheia: amigos, famílias, amigos de amigos e amigos de famílias. Acho que as pessoas gostam de encontros. A gente pediu pra Lisa falar, porque ela é boa no palco.

A gente desmontou os páletes que o pai da Mo pegou no posto de gasolina.

Os professores e os pais cortaram e lixaram a madeira, depois pregaram os pedaços e fizeram as molduras.

Éramos 137 pessoas extremamente produtivas. Conseguimos fazer 600 quadros! E eu também fiz alguns móbiles de dragões voadores.

Acho que todas as pessoas que eu conheço estavam lá, inclusive o meu time de futebol e a Laminha (falando nisso, descobri que ela é muito criativa).

Ela fez o contorno do Thomas em uma folha de papel bem grande. Depois, pintou o desenho com cores vivas. Ela chamou a obra de Sombra Feliz do Thomas. O quadro é abstrato, completamente diferente dos desenhos que eu gosto de fazer, e ficou FANTÁSTICO.

Todos concordaram. O Thomas adorou! Várias pessoas pediram pra ela fazer um quadro.

Na hora de ir embora, TODOS tinham um quadro feliz!

Acordei cedo hoje, porque 1) é quarta-feira, dia dos Jogos Matinais! Eba! Na hora do café, a gente brincou de o mestre mandou. Não foi nada fácil. E 2) é o Dia dos Professores Gêmeos.

Acho que esta foi a única vez que o Ben-Ben ficou parado por mais de um minuto. Queria que a Mo estivesse aqui com a máquina dela. O Ben-Ben sempre aparece embaçado nas fotos.

Na escola, descobri que alguns alunos tiveram a mesma ideia que eu: imitar a professora Trebuchet no Dia dos Professores Gêmeos. Fiquei de olho nela pra ver se ela sorriu quando viu a gente. Hum. Acho que não.

A Mo e o professor Brendall estavam vestidos de professora Whittam. O Travis e a professora Whittam estavam vestidos de professor Brendall. Acho que a diretora Pingo não gostou dos Professores Gêmeos. Deve ser difícil pra ela descobrir quem são os professores de verdade!

Na hora do almoço, havia professores em todo lugar. Até fiquei surpresa quando o Ryan começou a bagunça.

Vestido de professor Brendall (ele deve ter se sentido poderoso), o Ryan jogou uma batata frita no Kevin, que estava do outro lado da sala. Ela voltou pro Ryan, que jogou DUAS batatas fritas. E depois jogou toda a comida da bandeja.

A Glenda, que estava vestida de diretora Pingo, mandou o Ryan pra detenção. E a gente também.

Mas a VERDADEIRA diretora Pingo entrou na sala e mandou o Ryan pra detenção de verdade. Todos riram, até o Ryan!

A diretora ficou chocada. É claro que ela não sabia que "ela" (a Glenda) já tinha mandado o Ryan pra detenção.

À tarde, a gente jogou queimada de espuma.

## Regras da Queimada de Espuma

1. Os alunos são divididos em duas equipes. Use uma bola macia de espuma.

2. A primeira equipe tem uma chance pra jogar a bola na outra equipe e tentar acertar alguém. Quem for atingido está fora do jogo.

   Se o jogador não for atingido e pegar a bola, o lançador está fora.

3. Em seguida, é a vez da outra equipe, que tenta fazer o mesmo.

4. Vence a equipe que eliminar todos os jogadores da equipe adversária.

Todos estavam rindo muito. Também, como ficar sério quando uma bola de espuma acerta você com a força de uma borboleta?

Toda vez que o professor Brendall acertava alguém, ele dizia: TOMA ESSA, professora Trebuchet! (Ou professor Lopez, ou diretora Pingo, ou professora Whittam, ou qualquer professor que o aluno estivesse imitando.)

A minha estratégia era me esconder atrás dos melhores jogadores. Eu não fiquei até o fim do jogo, mas também não fui a primeira a sair.

Depois da aula, fui pra reunião do Jornada. A professora Trebuchet fez uma introdução rápida sobre Rube Goldberg. Ele fez desenhos de engenhocas enormes e complicadas cheias de etapas que executam uma tarefa simples.

Pra demonstrar, a professora Trebuchet abriu uma caixa e organizou as etapas numeradas no chão. Então, ela fez a máquina funcionar.

Com um taco de croquet, ela empurrou uma bolinha na direção de um monte de livros.

Os livros acertaram um pino de boliche, que fez uma bola de golfe bater em uma régua, que empurrou uma bola de boliche por uma rampa.

A bola derrubou uma fileira de bonecos de papel.

Os bonecos derrubaram um copinho de isopor com uma bolinha que acertou um bloco, que moveu uma régua o suficiente pra derrubar um ímã em cima de um livro, que tinha uma placa de ferro embaixo de uma página. O ímã e o ferro se atraíram, criando um marcador de páginas.

Tá legal, minha primeira reação foi que aquilo era loucura. Mas a loucura e a genialidade estão interligadas. É só lembrar do cabelo do Einstein.

A senhora Claire pediu pra gente fazer uma máquina de Rube Goldberg. Primeiro, pensamos em um tipo de movimento que podíamos fazer pra mover uma bola. Cada um colocou suas ideias no papel. Depois, organizamos a sequência e fizemos todos os movimentos! Demorou muito pra gente conseguir. Mas, depois que deu certo, foi mágico. Ninguém queria parar!

Foi muito divertido!

A senhora Claire tinha mais um exemplo de máquina de Rube Goldberg: um aparelho de corrida de bolinhas de gude. A gente preparou o aparelho e ela disse que Rube Goldberg seria o tema do Torneio da Mente no sábado.

O torneio era em três dias (nem dava tempo de se desesperar). Mas a senhora Claire disse que a gente já tinha a melhor ferramenta de todas: nosso cérebro.

A melhor maneira de se preparar era dormir bastante, comer bem e chegar na hora. Todos os membros do Jornada eram essenciais, então ninguém podia ficar doente.

Nossa Equipe no Dia do Cabelo Normal

Depois do Jornada, a gente só teve tempo de ir pra casa, comer um lanchinho, trocar de roupa e desfazer o penteado "de professor" antes do treino de futebol. Toda essa correria me deixou mais nervosa pro Torneio da Mente. Temos dois jogos de futebol no mesmo dia. Será que dá pra fazer tudo?

A Mo tem um plano: — Assim que o segundo jogo acabar, a gente corre pra casa, troca de roupa e vai de carro pro torneio. Vamos chegar 15 minutos antes.

Perguntei se os jogos de futebol atrasam.

A Mo respondeu: — Quase nunca.

Dia bom! É Dia do Contra na escola. Queria que meu pai me levasse pra lá de ré.

> Não, você tem que radna.

> Radna? Ah, ANDAR ao contrário!

Eu andei até a escola, mas nos corredores eu iedna. Hoje, a Mo é Om. O Travis é o Sivart. Eu sou a Eille e a Glenda é a Adnelg. Dizer o nome dos amigos é bem engraçado desse jeito!

Na aula de Inglês (Sêlgni), a gente leu revistas em quadrinhos do Japão. As histórias começam na última página e a gente tem que ler da direita pra esquerda. Eu ♥ a arte.

A professora Mattihw lançou um desafio: pontos extras pra quem conseguir falar o alfabeto ao contrário.

A maioria dos alunos chegou até a letra T e errou. Só uma pessoa conseguiu chegar até o A: Sivart (que inclusive está com a roupa ao contrário).

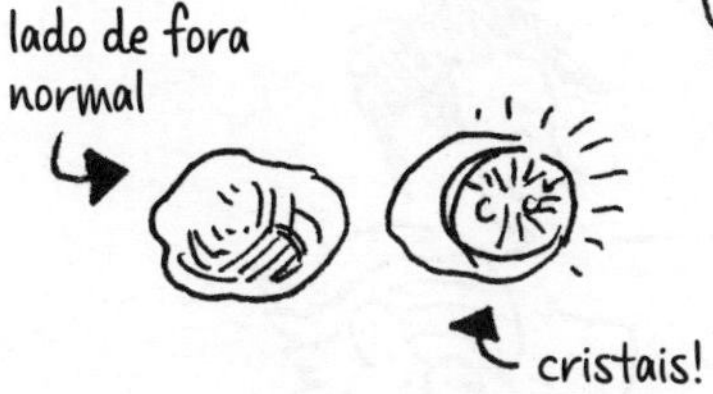

A professora Mattihw deu um geodo de presente pra ele. Do lado de fora, parece uma pedra normal, mas, por dentro, ele é cheio de cristais brilhantes.

Antes do almoço, a gente brincou com palíndromos, que são palavras ou frases que ficam iguais quando são lidas ao contrário.

- Ana
- Bob
- osso
- Ame o poema

  Eu pensei em dois:
- Lá tem metal! ← O Josh, falando do som da banda dele.
- A miss é péssima! ← Alpaca, chateada porque a ganhadora do concurso de beleza não a recebeu no camarim.

É claro que a gente começou o almoço pela sobremesa. O Ryan cuspiu a comida em vez de comer. Foi muito nojento, mas todos riram.

Aprendi algumas palavras úteis hoje. He he he.

Boas notícias: é nosso último dia de trabalhos em grupo na aula de Ciências. Más notícias: o meu grupo estava tão inútil quanto antes, e isso começou a afetar a minha nota nessa matéria. Aquele trabalho tinha que dar certo.

A nossa tarefa era enxergar o coração humano como um sistema dentro de um sistema maior, compará-lo com alguma coisa conhecida, depois escrever e ilustrar nossas ideias. Eu comecei com o Plano A:

Hora do Plano B:
Eu: É Dia do Contra. Algum de vocês deveria assumir o comando do grupo.

::cri cri cri cri::

Ahmed: Só quero acordar quando isso tudo acabar.
Eu: Não, espera aí! Não durma! Tenho outro plano! (Mas eu não tinha. Tive que pensar rápido.)

Ahmed: Você tem mesmo que falar sem parar? Eu quero dormir!

Eu: Sim! É assim que o coração trabalha. Dia e noite, sem parar.

James: O professor Brendall pegou meu celular.

Eu: Ei, os celulares são como neurônios! Eles se comunicam com o coração e pedem pra ele acelerar ou bater mais devagar.

A Sitka olhou pela janela e viu o zelador trabalhando.

Sitka: Vejam! O senhor Roger encontrou alguma coisa morta. Eca.

Eu: O coração é como o senhor Roger, que joga fora as coisas que não servem mais! Não, acho que é o fígado. Será?

É, acho que mereço uma nota baixa mesmo.

De repente, a Sitka entrou em ação.

Sitka: O senhor Roger é um coração! Ele é o coração da escola. Ele é amado por todos! Ele move coisas, limpa coisas, conserta coisas. Acho que a gente pode desenhar um coração com um senhor Roger em miniatura dentro, movendo as válvulas e bombeando coisas.

Ela começou a desenhar. Eu olhei, chocada. O Ahmed e o James começaram a ajudar de verdade. Todos ajudamos a criar o cartaz. Tenho que admitir, ficou bem legal depois de pronto.

O professor Brendall me chamou quando eu estava saindo da sala: — Bom trabalho, Ellie. Foi uma maneira original de resolver o problema.

Eu respondi: — Na verdade, a Sitka fez quase tudo.

No caminho pra casa, o canto dos pássaros parecia muito mais bonito. As flores estavam brilhantes. E será que o professor Brendall se sentiu incomodado usando a camisa ao contrário o dia inteiro?

No treino de futebol, percebi que eu estava controlando melhor a bola, graças à ajuda da Mo. Eu estava animada com o presente dela: eu e a minha mãe íamos levar a Mo e a mãe dela pra jantar e pra furar as orelhas da Mo!

A Mo não fazia a menor ideia. E ela não sabia como estava sendo difícil guardar esse segredo dela por tanto tempo! Eu ando com ela a maior parte do tempo, todos os dias.

Depois do treino de futebol, tomei um banho rápido e peguei o cartão de aniversário que fiz pra Mo. Então, eu e minha mãe passamos na casa dela. A Mo ainda não tinha a MENOR ideia do que estava acontecendo!

Fomos pra loja Toda Ouvidos. A Mo achava que a mãe dela ia comprar brincos. Na entrada, contamos pra Mo: ela ia furar as orelhas, e minha mãe disse que eu também!

Só tinha um probleminha. A Mo queria que eu fosse primeiro. Se doesse demais, ela ia comprar um colar.

Eu não tinha como voltar atrás.

A vendedora disse que eu podia furar uma orelha por vez ou as duas ao mesmo tempo. Eu preferi furar uma por vez.

Quando o primeiro brinco atravessou a minha orelha, eu queria gritar e sair correndo e deixar o outro lado sem furo mesmo. Não há nada de errado com um visual de pirata.

O segundo brinco atravessou o lóbulo da minha orelha. Eu quase desmaiei. Eu falei pra Mo que ela podia comprar alguma coisa em vez de furar as orelhas. (Eu não queria que ela se machucasse.)

Mas ela foi muito corajosa. Furou as duas ao mesmo tempo, e a única coisa que ela disse foi "Ebaaa!".

No final, valeu a pena. Eu e a Mo adoramos os nossos brincos novos!

A vendedora falou que a gente não podia tirar os brincos por seis semanas e tinha que limpar bem as orelhas. A Mo me abraçou e disse que tinha sido o melhor presente da vida dela!

Depois, a gente foi jantar. E teve bolo de sobremesa! Todos cantamos "Parabéns" bem alto e desafinado, mas a Mo nunca fica constrangida.

Em casa, coloquei o pijama, mexi nos brincos três vezes e passei uma pomada especial nas orelhas. Depois, fiquei pensando na Mo. O dia foi divertido, mas as surpresas de aniversário que preparei pra ela ainda não acabaram.

Eu tenho um plano pra amanhã.

Sexta-feira foi o Dia do Silêncio na escola, ou seja, ninguém podia falar NADA o dia inteiro. Eu nunca achei que ficar quieto pudesse ser tão engraçado.

Eu e a Mo fomos vestidas de mímicas.

Hoje entendi por que a gente estudou língua de sinais na aula da professora Whittam. Assim, podemos falar com as mãos. Também escrevemos muitos bilhetes, o que significa que todos demoravam um tempão pra conversar um pouquinho.

Na aula de Inglês, vimos um filme mudo, fizemos prova de mitologia grega e começamos a aprender código Morse.

Na hora do almoço, acenamos pra Glenda, que colocou fita adesiva na boca pra não falar nada. (Todos sabem que ela fala muito!)

O Travis derrubou a bandeja sem querer.

CRASH!!!

Ecoou por todo o refeitório. Todos riram sem parar (mas em silêncio). É engraçado como a gente pode dizer muita coisa sem falar uma palavra.

O Travis estava levando um bolinho pra Mo. Foi a única coisa que sobreviveu à queda.

O Travis deu o bolinho pra Mo e percebi que era o momento perfeito de fazer a minha próxima surpresa de aniversário pra ela.

Eu subi numa cadeira. Todos olharam. Normalmente, eu não faria isso. Deu pra ver a diretora Pingo fazendo cara feia pra mim. Mas ela parou de olhar e eu continuei.

Balancei os braços pra todos prestarem atenção. Apontei pra Mo.

Levantei as mãos e fiz um sinal:

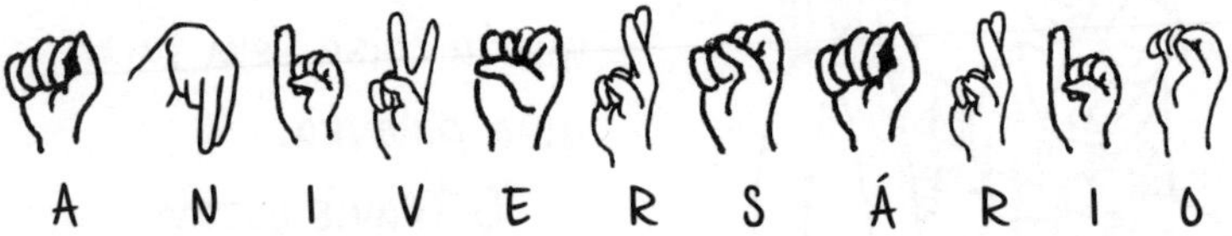

A N I V E R S Á R I O

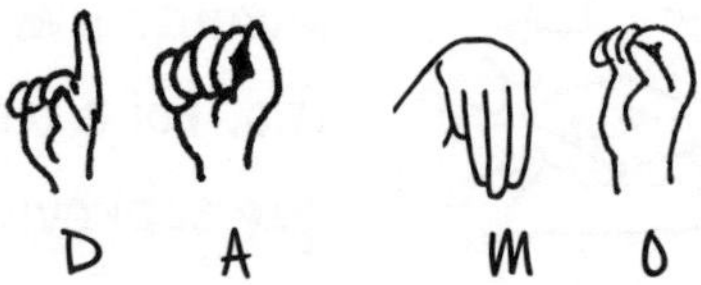

D A M O

Todos fizeram que sim com a cabeça. Eu contei "três, dois, um". Então, balancei os braços como uma regente de orquestra, fiz movimentos exagerados e fingi que estava cantando.

Todos no refeitório (inclusive a diretora Pingo) cantaram "Parabéns" silenciosamente pra Mo. Todos riram. Eu quase consegui ouvir o canto estridente.

A Mo me deu um abraço.

Depois da aula, como sempre, treino de futebol. Amanhã, temos dois jogos, então treinamos pesado hoje.

Abdominais fazem queimar a barriga e minha perna sempre formiga.

Flexões me dão dor no braço e no peitoral. A minha parte preferida é o final.

Caminhar, correr, trotar e saltar: depois de tantas voltas, só quero descansar.

Por fim, a parte boa do treino: jogamos todas juntas no campo. O nosso esforço deu resultado! Acho que a gente tem chance de ganhar um jogo amanhã. Talvez, até os dois jogos. Será?

No final do treino, o time inteiro cantou "Parabéns" pra Mo (bem alto dessa vez!).

Eu e a Mo falamos para as meninas que o bazar na Galeria do Art ia ser à noite.

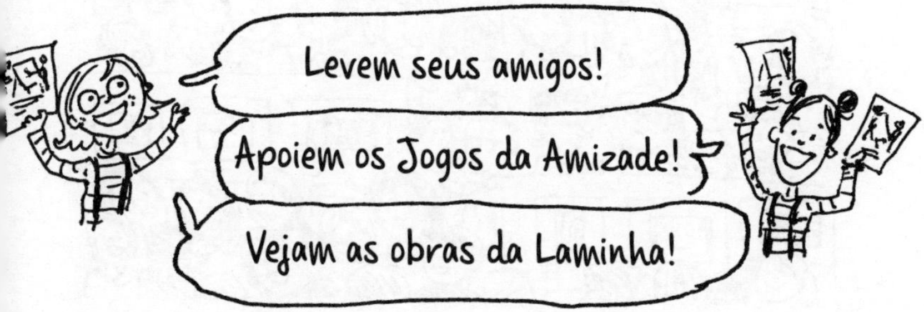


A gente espalhou a notícia, mas será que as pessoas iam pra lá?

Elas foram! A nossa exposição foi um SUCESSO! Todas as pessoas que eu conheço estavam lá. É impressionante como as obras de arte ficam mais bonitas quando têm uma moldura. É o mesmo que acontece quando um time inteiro coloca um uniforme.

O Thomas mostrou a obra de arte dele pra todos nós. Estamos orgulhosos dele.

Usamos a ideia do lanchinho da festa do pijama e fizemos algo mais artístico.

biscoito de manteiga de amendoim com cara de fruta (Meu pai disse que faz bem.)

A gente vendeu tantas obras de arte que até o Artur, dono da galeria, ficou surpreso. Ele disse: — Quando quiserem arrecadar fundos pra uma causa nobre, avisem-me!

Os conselheiros dos Jogos da Amizade agradeceram pelo dinheiro que conseguimos. Eles disseram que era o suficiente pra comprar troféus por DOIS anos!

A galeria estava fechando e eu abracei a senhora Claire.

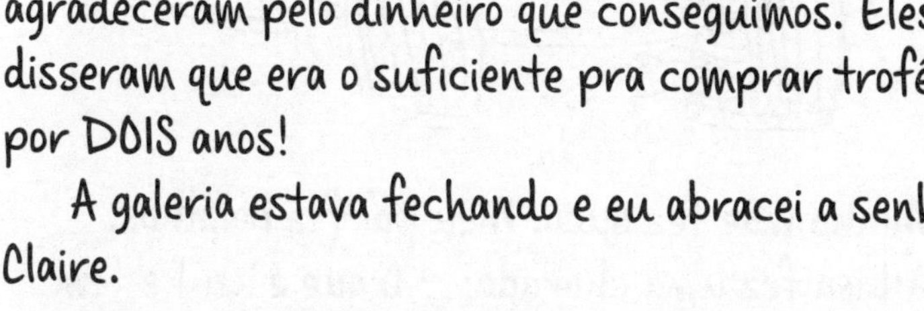


Eu dormi.

Meu pai me acordou cedinho. Por um segundo, achei que era quarta-feira, mas era o GRANDE dia: dois jogos de futebol e o Torneio da Mente. Mas, primeiro, o café da manhã. Toda a minha família estava acordada, o que era estranho pra um sábado. O Josh estava fazendo omeletes.

Minha mãe fez suco. Meu pai fez bolinhos.

A Lisa fez uma charada: — O que é azul e tem cheiro de tinta vermelha?

O Ben-Ben usou a espátula pra arremessar uma uva na mesa. Ela rolou na direção do meu prato.

(Resposta: tinta azul)

O Josh me deu uma escumadeira. Eu joguei a uva de volta pro Ben-Ben. Ela voltou pra mim. Eu rebati, mirando com cuidado. Minha mãe sentou com uma colher de sorvete na mão. A Lisa pegou uma concha. Meu pai pegou uma colher de pau. E foi assim que inventamos o divertido hóquei de cozinha.

Por alguma razão, surgiram outras uvas no jogo. Então, inventamos regras: se uma uva cair no seu prato, você ganha um ponto. Se uma uva cair no chão, você ganha dois pontos. Quem tiver menos pontos vence.

No meio do jogo, o Josh começou a cantar:

Ellie, Ellie, é seu dia de jogar!
E conosco você vai poder contar:
Você vai ter a torcida mais animada
Nos jogos de futebol e com o Jornada!

Eu não estava mais nervosa. Eu estava com sede de vitória. Então, fomos pro campo.

Antes do jogo, as jogadoras dos dois times ficaram enfileiradas enquanto o árbitro verificava se estava tudo de acordo com as regras. Ele falou sobre chuteiras desamarradas, presilhas de cabelo brilhantes, pulseiras e camisas pra fora do calção. Ele parou na frente da Mo e na minha frente e disse:

— Tirem as joias.

O quê? Tirar? Mas brincos não são joias! Eles são, hum...

A gente protestou: — Não dá, os furos vão fechar!

O árbitro começou a contar pro meu pai uma história horrível sobre brincos em um jogo escolar.

A Laminha interrompeu: — Com licença, senhor. Meu antigo técnico deixava a gente colocar fita adesiva nas orelhas. Elas podem fazer isso?

Uau. A Laminha salvou a pátria.

No campo, prestei muita atenção na bola e observei qual gol era o nosso. Treinei mentalmente como marcar gols e dar assistência, várias vezes.

No banco, torci até ficar quase rouca, e fiz todas as outras jogadoras torcerem também. Dei sugestões de músicas pra banda de kazoos do Josh. Fiz plaquinhas pra torcida segurar.

E depois virar:

A Laminha, ops, a Vitória, fez três gols.

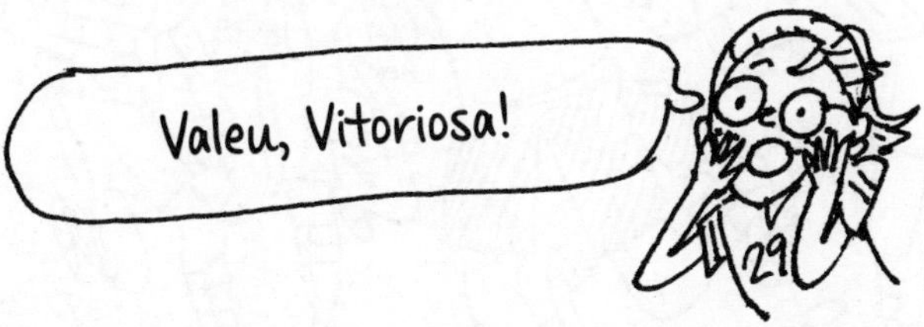


Nosso espírito de equipe nunca foi tão forte. Mesmo assim, perdemos o jogo. Frustrante!!! Temos só mais um jogo pra acertar as coisas. Nunca estive tão determinada na minha vida. EU QUERO VENCER!!!

Segundo jogo: o primeiro tempo passou voando. Antes que a gente percebesse, faltavam três minutos pro fim da partida. O jogo estava empatado, 4 a 4, quando de repente a bola veio na minha direção!

A Laminha estava perto. A Raio de Sol e a Toni estavam na minha frente. Eu tinha uma visão boa do gol!

Mas, quando eu estava me preparando, ouvi alguém gritar.

Olhei pra trás e vi a Vitória parada e olhando esquisito pra mim. Olhei pra ver se achava meu pai ou o árbitro, e alguém chutou a bola pra longe.

Corri pra perto da Vitória e a levei pra lateral do campo.

O árbitro apitou. Meu pai levou a Vitória pro banco. Ela estava fazendo uma careta horrível e chorando baixo. Ela estava sentindo muita dor. Meu estômago começou a doer de pena.

O árbitro apitou de novo. Os espectadores aplaudiram. Fim de jogo. Pela cara das minhas amigas, a gente perdeu.

Ah, não! O outro time deve ter pegado a bola e marcado enquanto eu e a Vitória estávamos fora.

Metade do meu time correu na direção da Vitória. A outra metade, na minha direção.

Achei que todas iam brigar comigo por ter acabado com o jogo. Eu estava bem na frente do gol. Mas o que ouvi foi:

— Você fez a coisa certa.

— Temos outros jogos pela frente.

— Que bom que você ajudou a Vitória.

— Boa, Ellie!

Uau, meu time é demais!

O tornozelo da Vitória começou a inchar. Meu pai enfaixou e colocou gelo. Depois, ligou para os pais dela.

Eu tentei animar a Vitória com a charada da tinta vermelha, mas a Lisa me puxou pelo braço e disse que a gente tinha que correr pra não se atrasar pro Torneio da Mente. Carácolis! Eu tinha esquecido!

Meu pai ficou com a Vitória esperando os pais dela chegarem. Já fazia 20 minutos que a família da Mo tinha ido embora. Se a Lisa e eu não tivéssemos ido embora naquela hora, a gente nunca teria chegado a tempo. E teríamos sido desclassificadas.

O Peter, namorado da Lisa, levou a gente. Ele pegou todos os atalhos possíveis pra evitar o trânsito da construção. Não adiantou nada.

Ficamos presos no trânsito a uns 2 quilômetros do ginásio. A gente esperou. E esperou... A Lisa olhou pra mim.

Lisa: Você consegue ir correndo?

Eu: Opa, consigo!

Lisa: Então, vamos!

A gente subiu as escadas correndo e bufando, e de repente minha mãe colocou um lanche na minha mão. A senhora Claire puxou minha outra mão.

Fomos cambaleando pelos corredores quando FINALMENTE...

... Eu estava no lugar certo.

O ginásio era enorme. Vinte grupos de alunos ansiosos iam participar. O locutor falou pro público sentar, e eu fui encontrar minha equipe.

O Torneio da Mente começou. O desafio: demonstrar o caminho para a paz mundial usando o tema Rube Goldberg. A gente tinha quatro horas!

O locutor disse: – Divirtam-se. Coisas bobas também contam. Preparados? Já!

A minha equipe se reuniu em uma mesa pra discutir nossas ideias. O que reúne as pessoas em busca da paz? Amor, festivais, computadores, festas, eleições, uma causa em comum, concertos, esportes, Olimpíadas. Escrevemos todas as ideias, pequenas ou grandes.

A gente trabalhou como uma máquina: tempestade de ideias, discussão, comprometimento, plano. Todos foram ouvidos.

Embora alguns detalhes fossem bem vagos, depois de um tempo, a gente tinha ideias suficientes pra colocar o projeto em ação.

Escolhemos o tema: as Olimpíadas.

Oito de nós fizeram pequenas máquinas, cada uma baseada em um esporte olímpico. O Travis e o Kev conferiram se todas elas funcionavam direito.

Decidimos fazer a nossa máquina maior em forma de torta, com oito fatias para os oito esportes. O círculo no meio era pra representar o mundo. No final, a gente ia colocar alguns símbolos de paz e talvez alguns confetes.

A Mo escolheu o vôlei, pra homenagear o Thomas. Eu escolhi o futebol, esporte número um do mundo. Meu plano: um jogador (A) derruba dois jogadores-livros (B), que mandam a bola para uma gangorra (C), depois para uma calha (D), a bola cai num copo (E), que leva a bola até outro jogador (F), que chuta a bola (G) em direção ao gol (H), que se desdobra, deixando cair bolinhas de gude (I) no mundo, que está no centro (J), onde as bolinhas de gude de todos os esportes se encontram ao mesmo tempo! Ficou fenomenal!

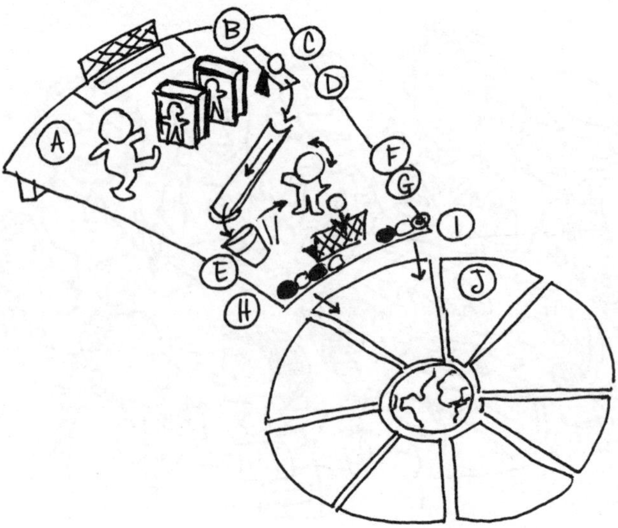

A gente separou as fatias de torta. Depois, fomos até a pilha enorme de acessórios no meio do ginásio pegar o equipamento necessário pro nosso projeto.

O nosso projeto ainda não estava muito divertido e também não era bobo. Mas parecia que as coisas estavam dando certo. Tentei me concentrar.

O público ia pra lá e pra cá. A gente ganhou até lanchinhos.

As quatro horas passaram voando, bem mais rápido que eu imaginava. Um alarme tocou, avisando que faltavam dez minutos pra acabar. A gente avaliou nossa máquina e fez algumas mudanças. Então, arrumamos tudo pra mostrar aos jurados.

O público aplaudia cada vez que uma equipe subia no palco pra demonstrar sua máquina. Elas eram todas diferentes. Algumas eram bem legais.

Quando chegou a vez da minha escola, o Travis descreveu nosso projeto pro público enquanto cada um de nós iniciava a nossa parte da máquina (nosso pedaço de torta) ao mesmo tempo.

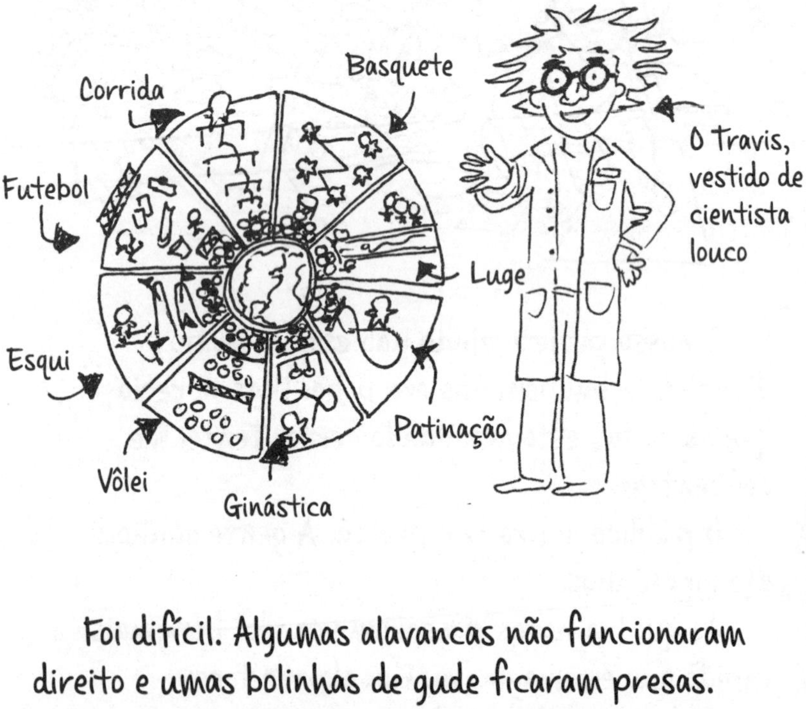


Foi difícil. Algumas alavancas não funcionaram direito e umas bolinhas de gude ficaram presas. Usamos uma régua pra colocá-las no lugar certo. Quase nenhuma bolinha de gude foi até o mundo, no centro da máquina. No final, não houve confete nenhum. Minha garganta estava seca.

O tempo passou rapidinho quando a gente estava no palco. Procurei pessoas conhecidas no público. O Josh levou a banda de kazoos dele. A Lisa, a Vitória e as irmãs do Travis levaram pompons. O Thomas fez uma placa pra gente. O pai da Mo levou a máquina fotográfica (o flash acendia e apagava toda hora).

Meus pais estavam sentados lado a lado, fazendo "Eu amo você" em língua de sinais.

Fiz o mesmo sinal pra eles e aconteceu uma coisa impressionante: várias mãos fazendo o sinal de "Eu amo você" em todo o ginásio. Dezenas. Centenas, milhares de pessoas dizendo "Eu amo você" (não só pra mim, mas pra todos que estavam no ginásio).

Eu me senti vitoriosa!

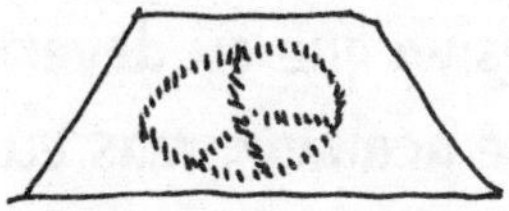
Símbolo da paz de dominós.

Plantar e colher a paz.

Forte candidato.

Placa do Thomas

Meus pais fazendo o sinal

Os jurados estavam prestes a fazer a premiação. Eu disse pra mim mesma que eu deveria fazer a respiração de ioga pra me acalmar, mas eu estava animada demais pra ouvir!

Minha equipe ficou de mãos dadas perto da nossa máquina. Anunciaram o terceiro lugar, e não era a gente.

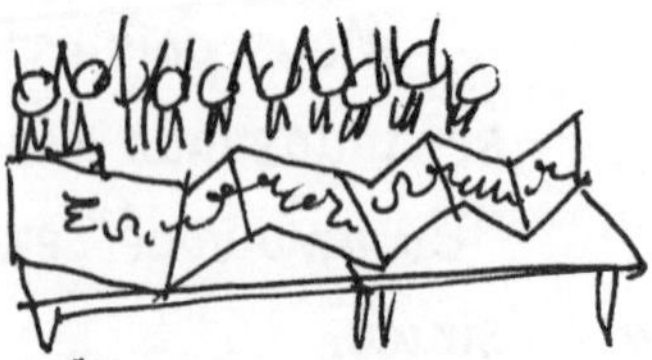

vencedores do terceiro lugar

o troféu incrível deles

Parei de ouvir. Eu estava esperando o terceiro lugar. Comecei a pensar em como minha equipe e o Jornada da Mente eram divertidos. Desafiadores, mas divertidos.

"Ei, boa sorte no ano que vem!"

De repente, a minha equipe começou a comemorar, pulando e gritando. Ficamos em SEGUNDO LUGAR!!!!!!!!! Nossas famílias e nossos amigos também comemoraram.

A gente ganhou o direito de ficar com o troféu por um ano:

O troféu de primeiro lugar foi para um grupo que usou todo tipo de coisa estranha na máquina: botas, relógios, galinhas (de papel, não de verdade). Eles fizeram um ótimo trabalho. Mereceram o primeiro lugar.

Depois que todos se abraçaram, a senhora Claire disse que meus pais ofereceram nosso quintal para um piquenique de comemoração no dia seguinte. Seria o final perfeito pra temporada do Jornada.

Minha família foi embora com a multidão de espectadores. Eu estava quase desmaiando de fome! Meu pai disse que estava feliz, pois a gente tinha mais um evento.

Ele prometeu comprar pizza se o nosso time de futebol ganhasse os jogos. Nós não ganhamos, mas ele falou que agimos como vencedoras e mostramos nosso espírito esportivo em campo. Então, ele comprou!

Todos se encontraram na nossa pizzaria preferida. Até a Vitória estava lá (de muletas). O tornozelo dela ia ficar bom, mas ia demorar. Meu pai ofereceu um emprego pra ela de assistente técnica no Mustangue.

Ela aceitou! (Fiquei com um pouco de medo. Sabia que ela ia mandar eu me esforçar mais.)

No meio do jantar, meu pai bateu com o garfo no copo de água pra pedir a atenção de todos. Ele disse que ele e a Vitória escolheram a melhor jogadora do dia.

Era eu! Meu pai me deu um diário novo. A melhor parte foi:

A Mo me presenteou com um troféu especial que ela fez meio em cima da hora.

Eu dei risada, e os outros também. A Mo é demais mesmo.

Em casa, à noite, meus pais me disseram que estavam orgulhosos de mim. A Lisa falou que eu podia pegar qualquer coisa dela emprestada por um dia inteiro. O Ben-Ben me desafiou a jogar espátula (com uma couve-de-bruxelas como bola). A gente perdia a bola direto. Então, minha mãe fez a gente usar uma bola de pingue-pongue. Pelo menos, o Henry não ia comer a bola.

O Josh cantou a música que escreveu pra mim.

Ellie, artista e esportista!
No seu coração,
você tem determinação!
Você é desajeitada,
mas é muito amada.
Temos orgulho de você.
Limpe suas chuteiras
pra elas pararem de feder!

Eu resisti à tentação de dizer que, tecnicamente, “você” e “feder” não rimam.

Fui dormir feliz.

O dia seguinte era dia de festa! A gente se espalhou pra limpar a casa. Sinceramente, achei que o Josh e o Ben-Ben limparam mais que a gente, mas eles se divertiram bastante.

Os meus amigos do Jornada e as famílias deles ajudaram a colocar toalhas nas mesas e a levar cadeiras pro quintal. Meu pai acendeu a churrasqueira. O Dalton jogou footbag (a bola é muito mais fácil de controlar do que uma bola de futebol).

Mas eu não consegui jogar bem.

O Ben-Ben fez um jogo de espátula só pra ele.

A senhora Claire disse que queria deixar o nosso projeto na biblioteca pra exibir com o troféu de segundo lugar. Oba! Isso significa que a gente ficou meio famoso, não é?

O Kev já queria se preparar pro Torneio da Mente do ano que vem.

A senhora Claire disse que, por enquanto, a gente tinha que comemorar o sucesso, ficar ao lado da família e dos amigos, além de se divertir. Eu concordei. Eu fiquei ocupada o tempo todo. Eu precisava descansar. O campeonato de futebol ainda não tinha acabado.

Por falar em futebol, o Travis sugeriu que a gente fizesse um jogo de futebol gigante com 20 pessoas em cada time. Percebi que a Vitória não estava mais sorrindo. Então, falei pra gente brincar de segura balão!

O Ben-Ben passou por aqui

Era a brincadeira perfeita pra essa multidão.

Quando os balões estouraram, fizemos estrelas ninjas e brincamos de acertar o alvo, meninos contra meninas, até ficar escuro demais pra enxergar.

Depois, olhamos para as verdadeiras estrelas

e sentimos

a verdadeira

paz.

# AGRADECIMENTOS

Agradeço aos verdadeiros jogadores: minha família; Carrie e Sierra Pearson; Anne, Ben, Isaac e Zachary Thelander; Diane Ross Allen; Karen Jones Lee; Tam Smith; Paul e Lindsey LaForest; as meninas, técnicos, pais e árbitros do time de vôlei da Gardner Middle School.

Um bom **diário** pode ajudar você a sobreviver a uma nova **escola**, um novo **animal de estimação**, um novo esporte e **muito mais**!

Leia toda a série!

Ciranda Cultural